Kreuzgangspiele Feuchtwangen

Blick hinter die Kulissen

Claudia Hinderer

© 2019 Claudia Hinderer

1. Auflage

Umschlaggestaltung: Claudia Hinderer und Marion Leidig
Bilder Umschlag: Claudia Hinderer
Lektorat, Korrektorat: Uli Kohler

Verlag und Druck: tredition GmbH
Halenreie 40-44, 22359 Hamburg

ISBN Paperback: 978-3-7482-0301-8
ISBN Hardcover: 978-3-7497-5222-5
ISBN e-Book: 978-3-7497-5223-2

Vorwort

Die Kreuzgangspiele können auf siebzig Jahre Erfolgsgeschichte zurückblicken. Heute sind sie größer, schöner und niveauvoller denn je. Bis zu 50.000 ZuschauerInnen besuchen jedes Jahr die Aufführungen. Feuchtwangen gehört zu den traditionsreichen Festspielorten im deutschsprachigen Raum und ist Gründungsmitglied in der Arbeitsgemeinschaft „Zehn deutsche Festspielorte", die sich zum Ziel setzt, anspruchsvolle Inszenierungen zu bieten, bei denen das Ambiente des Ortes selbst Teil der Inszenierung wird.

Die Besonderheit dieses Freilichttheaters ist sein kammerspielartiger Charakter. Der Theaterraum liegt im ehemaligen Klostergarten und ist umrahmt vom Kreuzgang mit Blick auf die imposante Fassade der Stiftskirche. Die Bühne liegt im Nordteil des in der zweiten Hälfte des 12. Jahrhunderts erbauten romanischen Kreuzganges mit seinen Arkaden und den beiden mittig angeordneten alten Kornelkirschbäumen. 819 wurde das Benediktinerkloster erstmals urkundlich erwähnt. Im Klostergarten, den der Kreuzgang umschließt, wurden Heilkräuter und Gemüse angepflanzt, er diente aber auch als Grabstätte für Angehörige des Klosters und dessen Wohltäter. Der Kreuzgang selbst war für die Mönche ein Ort der Einkehr, des Gebets und der Lektüre der Heiligen Schrift. Novizen erhielten hier ihren Unterricht, aber es wurde dort auch Wäsche gewaschen und nötige Reparaturen durchgeführt. Spätestens 1197 wurde das Kloster aufgelöst und in ein Augustiner-Chorherrenstift umgewandelt. Damit verlor der Kreuzgang seine sakrale Bedeutung, denn die Chorherren lebten nicht in klösterlicher Gemeinschaft, sondern in eigenen Häusern nahe der Stiftskirche. Nach dem Tod des letzten Kanonikers wurde 1563 das Chorherrenstift aufgelöst und von Markgraf Georg Friedrich eingezogen. Der Protestantismus hatte sich schon in den 1530er Jahren in der Region durchgesetzt.

Bis Anfang der 1930er Jahre war der gesamte Innenhof des Kreuzganges bis zum Beginn der Arkadenbögen mit Erde aufgefüllt und diente den Anwohnern, die im Haus des jetzigen Kulturamtes wohnten, als Gemüsegarten und Hühnerstall. Bei der Renovierung wurde die Erde ausgehoben, alles ebenerdig gemacht und die zum Teil mit Eisenstäben versehenen und völlig zugemauerten Kreuzgangbögen freigelegt und erneuert.

1949 wurde der Grundstein der Freilichtfestspiele in Feuchtwangen mit 16 Aufführungen der „Gretchentragödie" gelegt. Zu verdanken haben wir das dem Dreigespann Otto Schäfer, Leiter des Volksbildungswerkes im Landkreis Feuchtwangen, dem Landrat Paul Keim und dem Regisseur und Schauspieler Otto Kindler. Die Zuschauer saßen damals auf einfachen Holzbänken und gespielt wurde ebenerdig, eine Bühne gab es noch nicht. Die erste Tribüne für 585 Zuschauer wurde 1969 gebaut. 2010 wurde sie erneuert und mit 511 gepolsterten Sitzen versehen. Der erste Intendant der Kreuzgangspiele war Karlheinz Komm von 1975–1979. Dieser erweiterte den Umfang der Kreuzgangspiele um eine große Kindertheater-Inszenierung. Ihm folgte von 1979–1988 Joachim Fontheim, der die Kreuzgangbühne für Shakespeare entdeckte. 1989–1993 leitete Imo Moszkowicz die Festspiele, ihm folgten Lis Verhoeven (1994–2000), Heinz Trixner (2001–2005) und Johannes Reitmeier (2006–2008). Seit 2009 ist Johannes Kaetzler Intendant und hat die Kreuzgangspiele um vieles bereichert. Er erweiterte die von Heinz Trixner ins Leben gerufene Reihe „Kreuzgangspiele extra", für außergewöhnliche Produktionen einzelner SchauspielerInnen oder auch des gesamten Ensembles. Im ‚Nixelgarten' wurde 2009 eine kleine Bühne geschaffen, auf der ein Theaterstück für Kleinkinder und eines für Jugendliche gespielt wird. 2018/19 wurde dieser komplett umgebaut und eine wunderschöne Außenspielstätte sowie im Inneren der angrenzenden Scheune eine Bühne und ein Zuschauerraum geschaffen.

Die Liste berühmter Schauspielerinnen und Schauspieler, die hier aufgetreten sind, ist lang: Hans Clarin, Gudrun Landgrebe, Bruni Löbel, Inge Meysel, Hans Korte, Friedhelm Ptok, Hartmut Reck, Ellen Schwiers, Thekla Carola Wied, Rosel Zech, Ulrich Matthes,

Markus Majowski, Thomas Huber, Rainer Basedow, Jasmin Wagner und Horst Janson. Alexander Golling und Jörg Hube profilierten sich hier erstmals als Regisseur.

Ein Theaterbesuch in Feuchtwangen ist ein wunderbares Erlebnis. Für den Erfolg ist aber nicht nur das Spiel auf der Bühne entscheidend, sondern auch das „Dahinter". Nur in guter Zusammenarbeit aller Fachbereiche wird eine Produktion erfolgreich. Ich möchte Sie nun einladen, mit mir einen Blick hinter die Kulissen zu werfen. Wie entsteht eine Theaterproduktion? Wer macht wann was? Daran möchte ich Sie am Beispiel der Kreuzgangspiele mit ihren besonderen Herausforderungen teilhaben lassen und in unterhaltsamer Weise Informationen mit lustigen Begebenheiten und einigen Pannen würzen. Außergewöhnliche Bilder gewähren zusätzlich einen besonderen Einblick.

Ich wünsche Ihnen vergnügliche und informative Lesestunden.

Claudia Hinderer

Mai 2019

Inhalt

Johannes Kaetzler

Foto: J. Reichart

Johannes Kaetzler
Intendant und Regisseur

Als Festspielintendant darf man kein „Schönwetterkapitän" sein. Die Entscheidung, ob eine Vorstellung bei schlechter Wetterlage später anfängt, unter – oder abgebrochen wird oder in die Stadthalle 'Kasten' verlegt wird, treffe ich gemeinsam mit dem – im Vergleich zu anderen Festspielorten – sehr kleinen, aber effizienten Leitungsteam, bestehend aus der Leiterin des Kulturamts, Dr. Maria Wüstenhagen, dem Leiter des künstlerischen Betriebsbüros, Daniel Asofiei, meiner jeweiligen Vertretung und mir. Wir ziehen alle an einem Strang, da arbeitet keine und keiner gegen die oder den anderen.

Die Spielzeit 2017 war eine Ausnahmespielzeit. Das kann man nicht jedes Jahr machen. „Luther" war ein Experiment und ich wusste, das funktioniert nur, wenn man ein großes Stück daraus macht – daher engagierten wir siebzehn Schauspielerinnen und Schauspieler dafür. Natürlich brauchten wir ein zweites Stück, bei dem ich mir sicher sein konnte, dass es das Publikum anziehen wird. Wir entschieden uns für das Musical „Kiss me, Kate". Jetzt waren wir in der Pflicht, zwei teure, große Produktionen parallel zu machen, ohne von der Stadt zusätzliche Mittel bewilligt zu bekommen. Die Mehrkosten mussten über die Einnahmen ausgeglichen werden.

Von der Stadt ist mir ein finanzieller Rahmen von 1 – 1,3 Millionen Euro vorgegeben. Als sparsamer Schwabe versuche ich natürlich, diesen Rahmen strikt einzuhalten. Es ist aber durchaus möglich, hunderttausend Euro „Schulden" in die nächste Spielzeit mitzunehmen und diese mit entsprechend günstigeren Produktionen und hoffentlich hohen Zuschauerzahlen abzuarbeiten. Ein anspruchsvolles Stück, das unsere Kreuzgangspiele künstlerisch nachhaltig stabilisiert, aber nicht unbedingt viele ZuschauerInnen anzieht, versuche ich mit einem zweiten Stück auszugleichen, das hoffentlich ein „Publikumsrenner" wird.

Was natürlich sehr, sehr teuer ist, ist ein Musical. Dazu brauchen wir gute MusikerInnen und die kosten ihren Preis. Auch wenn jede Vorstellung ausverkauft ist, wird es finanziell eng. Durch den abendlichen Kassensturz weiß ich aber immer ganz genau, wie viel wir eingenommen haben. Und was noch ausgegeben werden darf.

Wenn wir das Drehbuch eines Filmes für eine Dramatisierung haben wollen, sind Tantiemen fällig, und ich muss jemanden engagieren, der die Bühnenfassung schreibt. Beides treibt die Kosten in die Höhe.

Meine Aufgaben als Intendant sind sehr vielfältig. Das Wichtigste ist die Auswahl der Stücke, die aber immer vom Stadtrat genehmigt werden muss.

Wenn wir ein Musical auf den Spielplan setzen, brauchen wir zuerst die Rechte dafür. Dazu muss ich früh eine Spieloption vom Verlag erhalten, denn in einem gewissen Umkreis darf ein Stück nur an einem Ort gespielt werden. Und wer zuerst kommt, mahlt zuerst.

Der Vorlauf für ein Musical ist etwa zwei Jahre, denn wir brauchen gute MusikerInnen und gute SchauspielerInnen, die gleichzeitig sehr gut singen können. Für alle anderen Stücke reicht ein Jahr, und die Planung beginnt meist während der aktuellen Spielzeit.

Gemeinsam mit den RegisseurInnen bespreche ich, welche SchauspielerInnen welche Rollen spielen werden. Das ist manchmal etwas schwierig, denn unsere Vorstellungen können sehr unterschiedlich sein. Ich muss aber dafür sorgen, dass nahezu jede/r AkteurIn in zwei Stücken mitspielt. Es kommt vor, dass ein/e RegisseurIn mit einem/einer SchauspielerIn nicht arbeiten kann und umgekehrt, das akzeptiere ich. Denn ein gutes Arbeitsklima ist mir wichtig. Wenn das Ensemble steht, mache ich die Bewerbungs- und Besetzungsgespräche und handle die Gagen aus, die in den gesetzten finanziellen Rahmen passen müssen.

In vielen Gesprächen mit den RegisseurInnen entwickeln wir die einzelnen Stückkonzepte und ein Generalkonzept, das für alle Stücke gelten kann. Nun geht es darum, die diversen Termine für die Regie-Teams zu koordinieren, d. h. einen Zeitplan zu erstellen, wann sie sich treffen, wann die Dekorationen abzuliefern sind, wann die Textfassungen (die auch von mir abgesegnet werden müssen) fertig sein müssen. Bei einer der Produktionen führe ich auch immer selbst Regie. Ich bin selbstverständlich bei den Endproben aller Stücke dabei und achte darauf, dass das Niveau der Produktion erreicht wird, das ich mir für die Kreuzgangspiele wünsche. Während der Spielzeit bin ich für den Ablauf der Vorstellungen mit verantwortlich.

Intendanten sitzen wie Fußballtrainer mehr oder weniger auf dem „Schleudersitz". Die Arbeit muss schon gelingen. Meine Verträge sind hier jeweils nur für zwei bis drei Jahre und werden dann wieder neu verhandelt. Das ist ein großes Privileg im Vergleich zu den anderen Kolleginnen und Kollegen, die ja nur für eine Spielzeit engagiert werden. Bis ein/e IntendantIn eingearbeitet ist, dauert es ca. zwei Jahre, daher macht es Sinn, den Vertrag etwas länger laufen zu lassen. Aber so lange wie hier in Feuchtwangen war ich noch nie – bisher habe ich es in leitenden Positionen an Theatern maximal fünf Jahre ausgehalten, dann wollte ich weiterziehen.

Als ich hier anfing, liefen bereits die Planungen für den Umbau des heutigen Kulturbüros, für die neue Tribüne und die neue Technik. Zurzeit haben wir eine neue Baustelle im 'Nixelgarten' – dabei habe ich nur eine beratende Funktion bei der Planung mit vielen Sitzungen.

Intendanten haben auch viele administrative Aufgaben. „Networking" finde ich sehr wichtig, mache es gerne und in großem Umfang. Ein Festspiel muss sich ja auch sehr stark mit der Region verbinden. Wenn kulturpolitische oder wirtschaftliche EntscheidungsträgerInnen mit uns in gutem Einvernehmen sind, dient das auch den Festspielen. Diese Arbeit ist sehr zeitraubend, und ich bin während der Spielzeit mit vielen Terminen unterwegs.

Schon von Kindesbeinen an wusste ich, dass es die Kreuzgangspiele gibt. Meine Eltern waren sehr kulturbewusst und wir haben auch die großen Festspiele besucht, z.B. Schwäbisch Hall. Aber nie die Kreuzgangspiele in Feuchtwangen. Als ich Mitte der 70er Jahre im Residenztheater in München Regieassistent war, habe ich viel von Feuchtwangen gehört. Einige dort engagierte SchauspielerInnen spielten im Sommer bei verschiedenen Festspielen mit, meist in Bad Hersfeld, Schwäbisch Hall und eben auch in Feuchtwangen. Ich glaube, Horst Sachtleben erwähnte einmal im Gespräch mit Hans Korte, der schon hier inszeniert hatte, dass Feuchtwangen doch eine Reise wert sei und dass man den Sommer hier gut verbringen könne. Die Stadt hat ein gewisses Flair und der Kreuzgang ist eine Art Kammerspiel im Freilichttheaterbereich. Die Bühne ist nicht so riesig, wie z. B. in Bad Hersfeld, wo man sich die Seele aus dem Leib schreien muss, um bis zur letzten Reihe durchzudringen. Damals fehlte ja noch die heutige Technik. In den Gesprächen dieser großen SchauspielerInnen galt Feuchtwangen immer als künstlerisch interessant.

Geboren bin ich in Stuttgart, aufgewachsen in Ulm. In München studierte ich Schauspiel, Rhetorik, Theater- und Kommunikationswissenschaften. Ich wollte immer Regisseur werden und hatte das große Glück, am Residenztheater in München mit sehr berühmten und guten Regisseuren arbeiten zu dürfen. Zum Beispiel mit Kurt Meisel, Horst Sachtleben, Heinz von Cramer und dem weltberühmten Regisseur Ingmar Bergman, dessen persönlicher Assistent ich vier Jahre lang war, sowohl im Theater als auch im Film. Da habe ich natürlich sehr viel gelernt, auch wie es geht, motivierend und herausfordernd zu arbeiten. Dies alles durfte ich im experimentellen Rahmen des Marstalls, einer dem Residenztheater angegliederten Experimentierbühne, schon mit fünfundzwanzig Jahren in die Waagschale werfen und ein Stück mit achtzehn SchauspielerInnen selbst inszenieren. Dem von mir stets sehr geschätzten Intendanten Georg Immelmann gefiel diese Produktion so gut, dass er mich gleich als ersten Spielleiter bei der Landesbühne in Wilhelmshaven engagierte. Nun war ich im zarten Alter von sechsundzwanzig Jahren für ein Ensemble mitverantwortlich. Das war echt schwierig für mich, aber ich habe die Herausforderung angenommen und mit viel Herzblut gemeistert.
Mitte der 90er Jahre habe ich in Bad Hersfeld zum ersten Mal Freilichttheater inszeniert, eine sehr große Produktion von Goethes

„Faust". Und ich fand das hinreißend. Nicht jeden Morgen in dunklen Probenräumen verschwinden zu müssen, sondern unter freiem Himmel zu proben. Da keimte der Wunsch auf, wenn ich irgendwann einmal Intendant werden sollte, dann von Freilichtfestspielen. Einige Jahre später bot mir Johannes Reitmeier (Intendant in Feuchtwangen von 2006-2008) eine Inszenierung von Shakespeares „Wie es euch gefällt" bei den Kreuzgangspielen an. Während der Vorbereitungszeit zu dieser Produktion kündigte er hier seine Intendantenposition. Ich bewarb mich und bin heute noch dankbar, dass ich genommen wurde.

Die Arbeit in Feuchtwangen erfüllt mich mit viel Freude, ist aber sehr zeitintensiv. Mit meiner Familie lebe ich in Hamburg. Ein Umzug nach Feuchtwangen war durchaus schon im Gespräch. Aber es ist besser, in Hamburg zu bleiben, auch wegen des beruflichen Netzwerks.

Im Winter bin ich Dozent an einer Schauspielschule in Hamburg. Das bietet mir die Möglichkeit, begabte Schülerinnen und Schüler auf den schwierigen Beruf vorzubereiten. Sie müssen sehr großes schauspielerisches Talent haben, gut singen können, kerngesund, belastbar, motiviert, sportlich und pünktlich sein. SchülerInnen, die regelmäßig zum Unterricht zu spät kommen, werden nie eine Chance im Theater haben. In den Jugendproduktionen im 'Nixelgarten' können die Begabtesten unter ihnen ihre ersten beruflichen Schritte machen. Ich finde das ganz toll, auch weil sie altersmäßig fast auf Augenhöhe sind mit dem jungen Publikum.

Das Spiel auf der Bühne ist immer Entgrenzung, der nackte Wahnsinn. Für die ZuschauerInnen ist es sehr spannend, wenn Menschen auf der Bühne weit über sich selber hinauswachsen. Das fordert auf der anderen Seite eine ganz strenge Disziplin. Eine gute Schauspielerin, ein guter Schauspieler vereint diese beiden Pole in sich – Entgrenzung und Disziplin. Viele Menschen denken, dass Theater sehr viel mit Selbstverwirklichung zu tun hat, aber es ist vor allem ein sehr dienender Beruf. Man dient dem Publikum und man dient dem Text. Und trotzdem braucht es eine sehr stark ausgeprägte Persönlichkeit, die in der Lage ist, auch eine mächtige Eigenbehauptung zu schaffen. Genau das fasziniert das Publikum.

Ich arbeite gerne mit einer Mischung von sehr erfahrenen SchauspielerInnen und Berufsneulingen. Alle kommen sehr, sehr gerne nach Feuchtwangen. Wir haben hier eine gute und familiäre Arbeitsatmosphäre. Da wir hier nur vier Monate zusammen arbeiten, bleiben große Konflikte in der Regel aus. Alle Beteiligten gehen aber nach der Spielzeit sehr erschöpft nach Hause. Als Intendant habe ich eine Fürsorgepflicht und achte darauf, dass niemand komplett „ausgepowert" wird. Ich sorge auch dafür, dass das Ensemble die Vorstellungen gerne spielt.

Alle MitarbeiterInnen auf und hinter der Bühne übernehmen auch noch zusätzlich und freiwillig viele Sonderaufgaben, wie z. B. beim Theaterspaziergang, beim Empfang in der Spielbank, bei der Mitternachtsshow, bei dem Gastspiel der integrativen Schauspielgruppe „Rampenlicht" ...

Beim Theater ist es ähnlich wie im Sport, und ein Regisseur muss, wie ein guter Trainer, das Ensemble zu Höchstleistungen antreiben. Das geht meist, aber nicht immer nur über Freundlichkeit. Manchmal muss man auch während einer Probe schmerzliche Ansagen machen und Konflikte riskieren. Trotzdem liegt mein Arbeitsschwerpunkt auf Motivation.

Freilichtspiele müssen festlich, außergewöhnlich und besonders sein. Bei der Auswahl der Stücke und auch bei der Inszenierung. Die festen Theater arbeiten für ein viel kleineres Zielpublikum. Hier haben wir ein sehr viel breiteres Publikum und wir müssen Leute erreichen, die vielleicht nur einmal im Jahr ins Theater gehen, und natürlich auch solche, die viel ins Theater gehen, manche davon sind richtige „Theatertouristen". Ein Zuschauer war von „Luther" sehr beeindruckt und sprach mich an. Es stellte sich heraus, dass er im Moment auf einer großen Theatertour ist: Bad Hersfeld, Bayreuth, Bregenz, Salzburg, Feuchtwangen ... Dieser Spagat, mit künstlerischer Höchstleistung die „Gourmets" und gleichzeitig das breite Publikum erreichen zu müssen, ist nicht immer leicht. Macht aber viel

Spaß und ist eine große Herausforderung.

Wir hoffen natürlich immer, dass kein/e SchauspielerIn ausfällt und halten auch die Verletzungsgefahr so gering wie irgend möglich. Aber bei Regen wird die Bühne einfach rutschig und Fechtkämpfe bergen immer ein gewisses Risiko – auf allen Bühnen! Falls jemand ausfällt, übernimmt, wenn möglich, eine Kollegin oder ein Kollege, die/der schon hier ist, die Rolle. Das ist sinnvoller, als jemanden von außen dazu zu engagieren. Die Inszenierung und zum großen Teil auch die Rolle und der Text sind meist bekannt und müssen „nur" noch verfestigt und aufgefrischt werden. 2018 spielte Rudolf Krause den Mephisto in Goethes „Faust". Drei Wochen vor Saisonende brach er sich einen Arm. Dieser wurde mit einem Gips ruhig gestellt. Er spielte aber trotzdem seine Rolle, natürlich mit sparsameren und angepassten Bewegungen, bis zum Ende der Festspiele weiter. Da mag sich so manch eine/r im Publikum über das starre einseitige "Kostüm" gewundert haben.

Es passieren – wie sollte es auch anders sein – immer viele nette, lustige Geschichten. Ingo Paulick spielte bei „Rennschwein Rudi Rüssel" das Schwein. Er trug nur eine blaue Arbeitslatzhose mit bloßem Oberkörper, eine kleine Schweinenase und ein Ringelschwänzchen als „Kostüm". Zur Vorbereitung auf diese Rolle verbrachte er viele Stunden in einem Schweinestall, um das originalgetreue Quieken zu erlernen. Nach einer Vorstellung beantwortete er, im Rahmen der Theaterpädagogik, in seinem Kostüm Kindern von der Bühne aus Fragen. Ein Kind stand staunend vor ihm und sagte: „Du bist ja gar kein Schwein, du bist ja ein Mensch".

Und – hier haben sich auch schon so manche Paare zusammengefunden, das kann der Sommer in Feuchtwangen so mit sich bringen. Unverheiratet hier ankommen und verheiratet wieder abreisen.

Meine Frau, mein Sohn David und meine Tochter Anna sind in den Ferien immer in Feuchtwangen. Sie sind sehr gerne hier, genießen die Stadt und die Atmosphäre. Und die schönen Abende auf dem Kirchplatz.

Ich erinnere mich gut an die Geburt unserer Tochter Anna. Meine Frau reiste mit David hochschwanger zwei Tage vor der ersten Premiere (diese war an einem Donnerstag) von Hamburg an. Am Montag wurde Anna in Filderstadt bei Stuttgart geboren. Und am darauffolgenden Donnerstag war ich zur zweiten Premiere wieder in Feuchtwangen. Anna hat das ganz genau im Sinne ihrer Eltern hinbekommen, inzwischen hat sie einen sehr eigenen Kopf. Und das ist gut so. Wenn sie während einer Premiere gekommen wäre, wäre ich halt nicht da gewesen, es hätte jeder Verständnis dafür gehabt. Es war aber auf jeden Fall alles sehr aufregend.

Im August heißt es: „Nach der Spielzeit ist vor der Spielzeit". Nicht auszuruhen auf etwas, das gewesen ist, sondern komplett neu anzufangen. Nicht müde werden – und die Festspiele Jahr für Jahr wieder neu erfinden.

Dr. Maria Wüstenhagen   Foto: Privat

Dr. Maria Wüstenhagen
Dramaturgin, Kulturamtsleiterin

Für mich sind 365 Tage im Jahr Kreuzgangspiele. Nur in verschiedenen Phasen und mit mehr oder weniger Arbeit. Mit den Damen im Ticketservice bin ich die Einzige, die ganzjährig vor Ort ist. Da ich deswegen in fast allen Bereichen „ein bisschen mitspiele", ist meine Arbeit sehr spannend. Mein Zuständigkeitsbereich umfasst im Großen und Ganzen all das, was mit Texten und Schreiben zusammenhängt: Presse- und Öffentlichkeitsarbeit, die Dramaturgie, unsere Internetseite und Facebook, aber auch die Bereiche Marketing und Theaterpädagogik, z. B. das Erstellen des Begleitmaterials oder das Halten von Einführungsvorträgen.

Nach den Premieren, also im Juni, machen der Intendant und ich uns konkret Gedanken, was wir im Jahr darauf spielen wollen. Als seine Dialogpartnerin darf auch ich meine Ideen einbringen. Um das richtige Kinderstück für Fünf- bis Zehnjährige auszuwählen, fragen wir manchmal Kinder, Erzieher und Lehrer, welche Stücke gewünscht werden. Interessanterweise sind es immer wieder dieselben, alten Geschichten, die alle kennen. Astrid Lindgren, Paul Maars „Sams" oder der „Pumuckl" – da werden selten neue Stücke oder Bücher genannt. Einen Überflieger gab es in den letzten Jahren allerdings auch nicht. Die letzte Entscheidung, welche Stücke gespielt werden sollen, liegt hier, wie in allen großen Theatern, alleine beim Intendanten. Wenn alle fünf Stücke (drei auf der Kreuzgangbühne – zwei Abendstücke und ein Kinderstück – und zwei im „Nixelgarten" – je eines für Kleinkinder und für Jugendliche) feststehen, tragen wir das Programm dem Stadtrat vor. Wenn dieser unserem Vorschlag zustimmt, erstelle ich den kompletten Spielplan einschließlich der Sonderveranstaltungen: den Theaterspaziergang, Kreuzgangspiele extra, die Museumsnacht, die Mitternachtsrevue und das Gastspiel der integrativen Theatergruppe „Rampenlicht". Dies ist eine schöne

Zusammenarbeit und ein kleines gemeinsames Projekt, weil immer ein/e SchauspielerIn von uns mitspielt. Sie kommen jedes Jahr vorher inkognito und privat in die Kinderstückvorstellung. Danach gibt es ein kleines Treffen mit unseren SchauspielerInnen.

Ende Juli fange ich an, am neuen Prospekt zu arbeiten, Termine festzulegen, Texte zu schreiben und die Gestaltung mit dem Grafiker zu besprechen. Die ersten Entwürfe stehen schon, bevor wir Mitte August in die Sommerpause gehen.

Aus verschiedenen, mit dem Grafiker erarbeiteten Prospektentwürfen, wählen der Intendant und ich den Schönsten aus. Sobald dieser gedruckt vorliegt, beginnt die Verteilung an fast zwanzigtausend Einzeladressen im Umkreis von hundert Kilometern und mehr, an Schulen, Kindergärten, Touristinformationen und andere Kultureinrichtungen. Das Eintüten übernimmt die „Werkstatt für Behinderte" der Lebenshilfe in Feuchtwangen. Bis Mitte November ist alles verschickt. Jetzt geht die Öffentlichkeitsarbeit und die Werbung richtig los. Im Umkreis von siebzig Kilometern werden Prospekte und Plakate von einem Mitarbeiter persönlich verteilt. Der Bauhof stellt in Ansbach, Ellwangen und Feuchtwangen Alurahmen mit einem Werbebanner auf. Zusätzlich schalten wir Anzeigen und machen Aktionen, z. B. Frühbucher-Rabattaktionen für Kindergruppen, Weihnachtsverlosungen … Wir möchten natürlich den Vorverkauf gut anschieben und das Weihnachtsgeschäft mitnehmen. 2016 verkauften wir schon am ersten Vorverkaufstag über fünfhundert Karten. Etwa die Hälfte der Karten werden über den Vorverkauf verkauft. Ob die Vorstellung dann ganz voll wird, ist in den meisten Fällen kurzfristig vom Wetter abhängig.

Mit dem Intendanten, der ganzjährig Intendant ist, aber in Hamburg wohnt, bin ich sehr, sehr eng vernetzt, wir telefonieren mehrmals in der Woche, manchmal sogar mehrmals täglich miteinander und sprechen uns in allem ab.

Gemeinsam erstellen wir schon im Oktober einen groben Zeitplan für den April, in dem die Technik, die Bühne und die Tribüne im

Kreuzgang aufgebaut werden. Ebenso erstellen wir einen Zeitplan für die Beleuchtungsproben der Stücke, nur für die Regisseure und die Technik – ohne Schauspieler.

Im Januar startet die Ensemblearbeit. Auf einer Pressekonferenz werden die SchauspielerInnen und die Rollenverteilung vorgestellt. Das Ensemble bekommt den Spielplan und alle Informationen zugeschickt. Auf unsere Internetseite kommen alle Biografien und Fotos.

Sehr wichtig von Anfang an ist die Zusammenarbeit mit der Presse. Unser Ziel ist, dass immer wieder etwas über die Kreuzgangspiele in der Zeitung steht. Damit niemand vergisst, dass es die Kreuzgangspiele gibt …

Die Wochen vor den Premieren sind für mich die arbeitsintensivsten. Es gibt viele Fototermine, das Programmheft muss fertig werden, die Ehrengäste und die Presse werden zu den Premieren eingeladen, ich kontrolliere: Wer hat sich zurückgemeldet, bei wem muss ich noch mal nachfragen?

Einführungsvorträge vor der Aufführung, die von Gruppen kostenlos mit den Tickets gebucht werden können, halten Herr Kaetzler und ich abwechselnd, seit 2018 auch Andrea Adamietz. 2016 waren es sechzig Vorträge. Bei schwierigen oder unbekannteren Jugendstücken oder besonderen Inszenierungen im „Nixelgarten" halten der Regisseur oder ich auch einen kurzen Einführungsvortrag, denn nicht jede Schulklasse ist auf den Theaterbesuch gut vorbereitet. Nach den Vorstellungen besteht für die Jugendlichen auch noch die Möglichkeit für ein Gespräch mit den SchauspielerInnen.

Häufige Blicke zum Himmel und auf verschiedene Wetterapps geben Entscheidungshilfen, was wir bei schlechter Wetterlage machen. Ob wir im Kreuzgang spielen und eventuell unterbrechen (wenn die Zuschauer die Regenhauben anziehen oder bei einem Regenschauer), die Aufführung in die Stadthalle „Kasten" verlegen oder ob wir das Risiko eines Abbruches kurz vor Ende in Kauf nehmen (nur bei Gewitter, Sturm oder Hagel). Im Kreuzgang ist es, meiner Meinung nach, auch wenn es in Strömen gießt, schöner als in der Stadthalle „Kasten".

Vor der Aufführung ist einer von uns auch immer im Foyer und empfängt die Zuschauer. Das ist einzigartig in Feuchtwangen, dass der Intendant am Eingang die Hände der Gäste schüttelt. Das gibt es in keinem anderen Theater, dass die Menschen so nah an den Theatermachern dran sind.

Die meisten Besucher kommen aus einem Umkreis von bis zu hundertfünfzig Kilometern, weil da auch ohne Übernachtung eine Aufführung kurzfristig, je nach Wetterlage, besucht werden kann. Wir haben aber auch Gruppen aus ganz Deutschland und viele Stammgäste, selbst aus Südafrika, die ihren Heimaturlaub mit einem Theaterbesuch verbinden. Insgesamt ein sehr versiertes Theaterpublikum, das oft an allen namhaften Festspieltheatern zu Gast ist, Schwäbisch Hall, Salzburg, Bregenz …, und manchmal hier an einem Wochenende alle fünf Stücke besucht. Manche Gäste kommen schon seit zwanzig und mehr Jahren jedes Jahr in die Kreuzgangstadt. Und erinnern sich an alle Spielpläne seit den 70ern, wann was gespielt wurde und mit welchen SchauspielerInnen. Wir spielen ja auch sozusagen in der „Bundesliga der Festspiele", denn wir sind Gründungsmitglied der Arbeitsgemeinschaft „Zehn deutsche Festspielorte", wie auch Wunsiedel, Schwäbisch Hall und Bad Hersfeld.

Die Kreuzgangspiele können überall auf der Welt Gesprächsthema sein, wie eine private Gegebenheit zeigt: Ich bin gebürtig aus Finsterwalde, Brandenburg, und meine Eltern besuchen jedes Jahr die Festspiele. In Kenia kamen sie mit einem Paar aus ihrer Reisegruppe ins Gespräch, natürlich waren auch die Kinder und deren Arbeitsplätze Thema. „Unsere Tochter arbeitet bei den Kreuzgangspielen in Feuchtwangen". „Was, die besuchen wir jedes Jahr!" kam als Antwort von dem nur fünfzehn Kilometern von Feuchtwangen entfernt wohnenden Paar. Diese Urlaubsbekanntschaft wird inzwischen jedes Jahr während der Spielzeit erneuert.

„Kreuzgangspiele extra" ist eine Reihe, die andere Perspektiven oder etwas Experimentelles, auch in der Form, während der Kreuzgangspiele anbietet. Hintergedanke war, dass einige SchauspielerInnen, die ja auch ein Leben neben den Kreuzgangspielen haben, etwas Besonderes anbieten möchten. Manches bekommen wir im Sommer unter, meistens reicht die Zeit dazu aber nicht. Wenn alle Termine der Festspiele im Kalender stehen, stelle ich fest, oh, es sind ja nur noch ein oder zwei Montage frei (montags ist normalerweise spielfrei). Deswegen erweitern wir den Zeitrahmen und bieten seit der Spielzeit 2017 diese Reihe schon im Herbst und im Winter an.

Neu ist auch, dass wir ein theaterpädagogisches Begleitprogramm anbieten. Ich freue mich immer sehr darauf, diese Mappe zum Kinderstück im Kreuzgang zu erarbeiten. Darin wird das Stück, der Regisseur und das Theater vorgestellt, wer was macht und wie viele Leute mitarbeiten. Damit die Kinder eine Vorstellung bekommen, wie das im Theater so läuft. Es gibt auch Vorschläge, was mit der Gruppe zur Vorbereitung auf den Theaterbesuch gemacht werden kann, Spiele, basteln usw. Sie kann ab Ende Januar bei uns kostenlos angefordert oder aus dem Internet heruntergeladen werden.

Wenn eine Schulklasse den Besuch eines Klassikers im Kreuzgang gebucht hat, halte ich auch an Schulen in der näheren Umgebung eine Unterrichtseinheit zur Vorbereitung auf den Theaterbesuch ab. Das ist immer sehr, sehr spannend, gerade für die neunte Klasse. Ich möchte den Schülern die Kernaussage des Stückes näher bringen, um was geht es und wer ist warum gegen oder für wen, ohne die ganze Geschichte nachzuerzählen. Bei „Romeo und Julia" geht es um ‚Liebe', das ist in der neunten Klasse schwierig zu diskutieren. Bei „Wilhelm Tell" war ‚Freiheit' das Thema, das war einfacher. Diese Schüler sind meistens während der Aufführung aufmerksamer. Obwohl ich nicht erwarte, dass sie sich allzu viel von dem, was ich erzähle, merken.

Nach dem letzten Spieltag einer jedes Jahr wundervollen und immer einzigartigen Spielzeit sind alle zwar angefüllt mit Eindrücken und erschöpft zugleich, doch spätestens im September freuen wir uns wieder auf das nächste Jahr und die nächste Spielzeit.

Daniel Asofiei   Gemälde: Privat

Daniel Asofiei
Leiter des künstlerischen Betriebsbüros, Inspizient, Schauspieler

Bei mir laufen alle, wirklich alle Fäden zusammen. Ich habe die Übersicht über alle Bereiche der Kreuzgangspiele in Feuchtwangen, mache die Einteilungen für das ganze Haus und sorge für die Verbindungen untereinander.

Sehr zeitintensiv ist die Erstellung der Probenpläne, wann welche Szene wo und mit wem geprobt wird. Diese erstelle ich nach Absprache mit dem oder der jeweiligen RegisseurIn und jeweils für eine Woche im Voraus. Was genau der/die RegisseurIn probt, teilt er/sie sich ein, aber auch das überprüfe ich. Denn nur ich weiß, wann ein/e SchauspielerIn nicht vor Ort ist, denn es darf während der Proben ausnahmsweise ein Tag Urlaub genommen werden. Besonders umfangreich ist die Planung bei Musicals, denn da gibt es neben den szenischen Proben auch noch musikalische und choreografische, also drei Proben je Szene. Und noch extra einzelne musikalische und choreografische Proben für nur eine/n SchauspielerIn. Da vor der Festspielzeit in Feuchtwangen alle drei Stücke gleichzeitig in der Probenphase sind, die meisten SchauspielerInnen in zwei Stücken mitspielen, alle am liebsten auf die Kreuzgangbühne wollen und wir wetterbedingt manchmal nicht so proben können, wie wir gerne würden, dürfen mir keine Fehler bei der Einteilung passieren. Es stehen als Probenorte auch noch die ‚Schranne', die Stadthalle ‚Kasten' oder das Organistenhaus – dies allerdings nur für Textproben – zur Verfügung. Gottesdienste und sonstige Veranstaltungen in der Stiftskirche muss ich auch berücksichtigen, denn während dieser Zeiten darf der Kreuzgang nicht benutzt werden.

Mein großer Aufgabenbereich umfasst ferner: Genehmigungen beim Gewerbeaufsichts- und Jugendamt für minderjährige Statisten beantragen, Pressetermine und Termine für die Anproben aller SchauspielerInnen in der Schneiderei und für die theaterpädagogischen Angebote für das Kinderstück festlegen.

Ich betreue alle drei Produktionen und bin auch bei allen Hauptproben dabei. Oft spiele ich auch in einer kleinen Rolle selbst mit, manchmal in allen drei Stücken. Und so bin ich auch bei vielen Szenenproben auf der Bühne mit dabei.

Auch das Budget für die Requisiten liegt in meinen Händen und wenn ich Zeit habe, besorge ich auch welche. Ein bezahlbares Münztelefon von 1950 aufzutreiben ist schwierig. Ich weiß aber, wo was günstig zu haben sein könnte und ich recherchiere gerne im Internet.

Für „Luther" habe ich die ‚Lutherstühle' mit Tisch im 200 km entfernten Mannheim sehr günstig erstanden und ich fuhr selbst dorthin, um sie abzuholen, denn ich wollte mich von deren Stabilität überzeugen. Sie sollten ja einer Freiluftsaison standhalten.

Da ich täglich die Requisiten vor den Aufführungen bereitlege und danach wieder aufräume, weiß ich auch, was im Fundus ist. Normalerweise organisieren die RegieassistentInnen die Requisiten und ich spreche mit den SchauspielerInnen ab, wo was praktischerweise liegen soll und mache einen Lageplan dafür.

Bei den Kreuzgangspielen benutzen wir auf der Bühne ganz normales Geschirr und kaufen meist ein paar Stücke mehr als Ersatz. Theaterglas ist sehr teuer und wird nur verwendet, wenn es zerspringen soll, damit sich niemand verletzt. Essbares auf der Bühne wird immer frisch gekauft und die Getränke mische ich selbst.

Theaterwaffen sind stumpf, trotzdem müssen sie laut Gesetz in einer Waffenkammer unter Verschluss gehalten werden und kommen auch nach jeder Probe oder Aufführung wieder dorthin zurück. In unserem großen Fundus befinden sich viele alte Waffen, Pistolen, Macheten, Schwerter, Degen, Messer, Dolche. Alles ist katalogisiert und wird regelmäßig gepflegt.

Während der Spielzeit übernehme ich die Abendspielleitung und die Inspizienz. An großen Theatern sind das zwei getrennte Berufe. Ich überprüfe vor Spielbeginn: Sind alle Requisiten vorhanden und liegen sie auf dem richtigen Platz? Sind alle Bühnenbilder aufgebaut und fest verankert? Wenn ich mitspiele, gehe ich danach in die Maske.

Im Verlauf der Aufführung bin ich dafür verantwortlich, dass alle SchauspielerInnen rechtzeitig auf Position sind. Wir arbeiten hier sehr professionell und auf sehr hohem Niveau. Es ist sehr selten, dass ich jemanden erst suchen muss.

Trotzdem gibt es immer wieder mal kleine Pannen. Vor Jahren spielte ich einen wütenden Offizier. In einer Szene war ich stinksauer, tobte und schrie meinen Bühnenkollegen an, ging von der Bühne ab und ein Kollege sollte sofort auf die Bühne kommen – er war aber nicht da. Keiner wusste wo er war, da ging ich halt wieder zurück und spielte die Szene noch mal. Der Kollege auf der Bühne wusste sofort, dass etwas nicht stimmte und spielte mit. Ich ging wieder wütend von der Bühne ab – und der Kollege war immer noch nicht da. Wir spielten die Szene zum dritten Mal und endlich stand der Kollege bereit und das Stück konnte fortgesetzt werden. Er hatte sich in der Maske verplaudert. Bis heute ist mir dies als eine witzige Bühnenpanne in Erinnerung.

Beruflich bin ich sehr breit aufgestellt: Gegen den Willen meiner Familie studierte ich heimlich je zwei Jahre Schauspiel und Regietheater in meiner Heimat Rumänien. Zeitgleich absolvierte ich eine Lehre als Vulkaniseur und machte mich danach selbstständig. Nebenher engagierte ich mich in der Politik und war bei der Revolution 1988 sehr aktiv. Ich war Mitbegründer der Freien Jugendorganisation und unterstützte die Liberale Partei im Wahlkampf. 1990 ging ich nach Deutschland, erarbeitete mir die deutsche Sprache im Selbststudium, lernte meine Frau kennen und arbeitete weiterhin als Vulkaniseur. Ich dachte nicht mehr daran, an das Theater zurückzugehen. In Belgien legte ich die Prüfung zum technischen Meister ab und machte viel später auch noch eine Ausbildung zum Einzelhandelskaufmann. 1997 fing ich als Statist bei den Kreuzgangspielen in Feuchtwangen an, 2011 übernahm ich nebenberuflich die Abendspielleitung. Seit 2012 bin ich Freiberufler und bei den Kreuzgangspielen von April bis August beschäftigt. Meine erst vor Kurzem abgeschlossene Ausbildung zum Pyrotechniker eröffnet mir nochmals ganz neue Perspektiven. Ob Film oder Bühne, das Feuer ist immer ein „Hauptdarsteller". Erfreulicherweise bin ich über meine Arbeit hier bei den Kreuzgangspielen auch im ganzen deutschsprachigen Raum ziemlich bekannt.

Die Kreuzgangspiele in Feuchtwangen waren und sind für viele KollegInnen das Sprungbrett an große Theater oder ins Fernsehen. So konnte auch ich schon Erfahrungen vor der Kamera sammeln, unter anderem bei „Verbotene Liebe", „SK Kölsch" und „Die Jagd nach dem Bernsteinzimmer". Wir sind hier sehr anspruchsvoll, es wird sehr professionell gearbeitet, die Herausforderungen sind sehr hoch und die Gagen sind in Ordnung. Es gibt auch keinen Souffleur, jeder muss seinen Text können. Es ist ein Ort, an den alle gerne wieder kommen. Es herrscht eine besondere Atmosphäre und diese Bühne hat ihren eigenen Charme. Wir sind wie eine Familie und es gibt durchaus auch Meinungsverschiedenheiten. Das ist auch gut so. Dadurch entstehen Diskussionen und Debatten und es erfolgt ein reger Austausch. Das trägt zur Qualität der Stücke bei. Auch lässt unser Intendant Herr Kaetzler Kritik und Anregungen zu. Wir arbeiten alle sehr eng zusammen, haben viele Besprechungen und nehmen uns auch mal gegenseitig Arbeit ab. Deshalb funktioniert hier auch alles so gut.

Wenn die Festspiele begonnen haben und alle drei Stücke laufen, entspannt sich mein Arbeitsalltag. Trotzdem beginne ich morgens um acht Uhr und bereite die Requisiten für das Kinderstück vor. Nach den Aufführungen muss ich hier zum Glück keine Spielprotokolle – wie an anderen Theatern üblich – schreiben, da ich ja alleine für alles zuständig bin. Ich räume noch die Requisiten auf und wenn ich mitgespielt habe, ziehe ich mich um und sitze nach dem Abendstück meist mit den KollegInnen zusammen und wir entspannen langsam bei einem Glas Bier oder Wein. Dabei kommt auch nochmals die Aufführung ins Gespräch, es wird Gutes gelobt und wenn etwas schief gelaufen ist, suchen wir nach dem Grund. Ich versuche, die gute, aber auch strenge Seele der ganzen Truppe zu sein. Schließlich bin ich auch für die Disziplin und die Einhaltung der Hausordnung zuständig.

Wenn mir auffällt, dass ein/e SchauspielerIn überarbeitet ist, spreche ich mit ihm/ihr und dem Intendanten und gemeinsam suchen wir eine Lösung. Und wenn jemand etwas auf dem Herzen hat, kommt er/sie zu mir und ich kümmere mich darum. Ein besonderes Augenmerk werfe ich auf die KollegInnen in den Hauptrollen. Ich habe schon erlebt, dass SchauspielerInnen in sehr bewegten, dramatischen Rollen nach dem Schlussapplaus von der Bühne gingen und weinend zusammenbrachen. Das kann ‚Druck ablassen' und eine Befreiung sein, am nächsten Tag stehen sie dann wieder auf der Bühne und spielen. Wenn das einmal passiert, ist das in Ordnung. Wir opfern unsere Identität und eigenen Gefühle, um vollkommen in eine andere Rolle zu schlüpfen. Irgendwann kann aber auch die eigene Identität verloren gehen. Man ist noch da und weiß wer man ist, aber gefühlsmäßig bleibt man in der Person, die man spielt. Die eigenen Gefühle stehen dann völlig im Hintergrund. Wenn der/die SchauspielerIn nicht mehr zu sich selbst zurückfindet, ist das das Ende der Schauspielkarriere.

Nur wenn ein/e SchauspielerIn krankheitsbedingt ganz ausfällt, wird umbesetzt. Wenn wir Glück haben, kann ein Kollege /eine Kollegin vor Ort die Rolle übernehmen und anfangs aus dem Textbuch ablesen. Wenn nicht, suchen wir jemanden von außen. 2014 war das Wetter sehr schlecht, viele SchauspielerInnen waren krank, die Erkältung zog bei vielen auch die Stimme in Mitleidenschaft, aber alle haben weiter gespielt. Alle Achtung! Die ZuschauerInnen haben das nicht gemerkt. Es ist für das Ensemble eine große Herausforderung, bei gutem und schlechtem Wetter, ohne Souffleur und eventuell auch noch krank zu spielen.

Egal wie viel Berufserfahrung wir haben, wir haben alle Lampenfieber, ganz besonders bei der Premiere.
Wir wissen auch erst bei der Generalprobe bzw. Premiere, wie

das Stück beim Publikum ankommt. Wir hatten schon manche Szenen, die wir bei den Proben gar nicht lustig fanden und als das Publikum schallend gelacht hat, waren wir völlig überrascht und mussten uns zurückhalten, um nicht mit zu lachen.

Wir spielen die Stücke auch mit verschiedenen Tempi und manchmal kann man keine Pause für den Zwischenapplaus machen, es würde die Pointe verloren gehen. Jedes Stück muss man in seinem eigenen, besonderen Rhythmus spielen, damit es interessant und spannend ist. Um das herauszuarbeiten, braucht es einen guten Regisseur.

Im Kreuzgang arbeiten wir auch manchmal mit pyrotechnischen Effekten. Früher holten wir uns dazu einen externen Spezialisten, seit ich diese Ausbildung habe, gehört das auch noch zu meinem Aufgabenbereich. Somit habe ich noch mehr Verantwortung. Ich kann für jede unsachgemäße Handhabung von Pyrotechnik und Schusswaffen mit pyrotechnischem Effekt belangt werden. Dafür darf das Publikum gespannt sein, welche pyrotechnischen Effekte wir in Zukunft auf die Bühne zaubern werden.

Ich mache meine Arbeit bei den Kreuzgangspielen sehr, sehr gerne. Deshalb ist dieser Arbeitsumfang keine Belastung für mich. Ich bin auch deswegen sehr oft anwesend, weil ich alles im Blick haben möchte. Ich kontrolliere nicht, sondern beobachte entspannt, deswegen empfinde ich auch keinen Stress. Eine Vertretung habe ich nicht, die hat hier niemand, aber ich kann mich darauf verlassen, dass alles funktioniert, falls ich mal nicht vor Ort sein sollte.

2016 haben wir alle die letzten sechs Wochen ohne einen einzigen freien Tag gearbeitet. An den während der Spielzeit normalerweise freien Montagen hatten wir wegen der großen Nachfrage Zusatzvorstellungen, aber das war trotzdem sehr schön für uns, denn es war immer volles Haus. Der Erfolg ist für uns die wertvollste Gage. Davon leben wir, vom Erfolg.

Die Kreuzgangspiele in Feuchtwangen sind für mich eine Bereicherung. Ich durfte hier mit so vielen großartigen Menschen arbeiten und immer in sehr hoher Qualität. Mir gefällt auch, dass jedes Jahr ein neues Ensemble engagiert wird. So ist es jedes Jahr anders und etwas Neues.

Yves Jansen   Foto: August Jansen Pozo

Yves Jansen
Regisseur

Eine Figur kann ich nur dann inszenieren, wenn ich sie mindestens ansatzweise mag und die Motivation für ihr Handeln nachvollziehen kann. 2014 inszenierte ich hier den „Wilhelm Tell", da hatte ich als Schweizer Staatsbürger nur wenig Probleme. Ganz anders 2017 bei „Luther". Ich habe eine andere Konfession und konnte anfangs den Grund für Luthers Handeln nicht verstehen. Dies änderte sich, als ich Luthers Handeln mit den Augen der damaligen Zeit betrachtet habe. Die Erde galt als Mittelpunkt des Universums – und der Papst auch. Von der Kanzel wurde das Ende der Welt prophezeit und den Menschen große Angst gemacht. Die Strafen für Sünden wurden in sehr drastischen Bildern beschrieben – insbesondere fürchteten die Gläubigen das Fegefeuer. Und die Menschen glaubten der Kirche alles. Auch, dass durch den Kauf von Ablassbriefen die Sünden vergeben sind und man so für sich und seine Angehörigen das Fegefeuer vermeiden kann.

Bei allen Stücken, die ich auf die Bühne bringe, arbeite ich mich möglichst umfangreich in den jeweiligen Hintergrund ein, um den Zeitgeist und die daraus resultierenden Handlungen nachvollziehen zu können. Dafür lese und recherchiere ich sehr viel. Oft ist vieles widersprüchlich, manchmal vertrödle ich auch Zeit mit Büchern, die mir nichts bringen. Diese Phase ist schwierig, zeitaufwendig, aber auch sehr interessant. Ich muss für jedes Stück ein Bild für die Bühne finden. Bei „Luther" war mir auch wichtig: Wann und unter welchen Umständen wurde er geboren, hat sein Vater geprügelt oder nicht, waren die Eltern arm oder reich? Wie war die Beziehung untereinander? Schließlich hatte ich ein stimmiges Bühnenbild im Kopf und das Stück wird mit über neunzig Kostümen ausgestattet werden.

Stellen Sie sich einen Klostergarten vor: Warmes Wetter, Vogelgezwitscher, ein Tisch wird hereingetragen, eine Frau, Mitte vierzig, führt einen alten, kranken Mann an den Tisch und da sitzt er. Er ist enttäuscht vom Leben, dick, hat Verdauungsprobleme. Sie zeigt ihm Pläne für Umbauten des Hauses. Sie möchte mehr Zimmer für die Studenten, um die Einnahmen zu erhöhen. Dieser Mann, Martin Luther, hat am Ende seines Lebens das Glück, das gefunden zu haben, was er sein Leben lang gesucht hat, nämlich die Liebe. „Wenn ich dich und deine Liebe nicht hätte und Jesus, ich würde mich am nächsten Baum aufhängen".

Es kommen viele Leute zu Luther und meinen, er sei ein Held, er ist aber keiner. Es kommen aber auch viele Leute zu ihm und beschimpfen ihn, und meinen, er ist ein Teufel. Er ist aber keiner. Diese Widersprüchlichkeit in der Einschätzung Luthers besteht bis heute, aber eines muss man ihm lassen: Luther hat viel bewegt. Und das ist das, was wir mit dem Stück zeigen wollen.

Der Intendant Johannes Kaetzler hatte die Rechte für die Bühnenfassung an dem Film erhalten. Den Text des Lutherfilmes von 2003 nahmen wir als Grundlage und gemeinsam mit dem Dramaturgen Jürgen Apel erarbeitete ich den Text für die Uraufführung der Bühnenfassung bei den Kreuzgangspielen in Feuchtwangen. Unsere Zusammenarbeit wurde dadurch vereinfacht, dass wir beide in Hamburg wohnten, sodass wir uns oft treffen und Szenen besprechen konnten. Der Film hat unglaublich gute geschliffene Dialoge, die wir teilweise eins zu eins übernahmen, andere Passagen schrieben wir neu, einige Szenen strichen wir. Gefehlt hat uns die dunkle Seite Luthers, die im Film gar nicht vorkommt und Thomas Müntzer, der ein wichtiger Gegenpol zu Luther war. Diese Figur haben wir im Theaterstück zusätzlich eingefügt.

Wir haben aber auch darauf geachtet, dass die Aufführungsdauer unter zwei Stunden bleibt. Während der Aufführung im Kreuzgang gibt es ja keine Pause!

Meine nächste Aufgabe war, das ‚Szenario' zu erstellen, um die Vielzahl der Rollen auf die zur Verfügung stehenden SchauspielerInnen aufzuteilen. Das ist so etwas Ähnliches wie ein Stunden- oder Dienstplan. Vertikal sind alle DarstellerInnen aufgeführt, horizontal alle Szenen eingetragen. So kann ich sehen, wer kann wann was spielen, wer hat wann Zeit, was zu machen. Wenn ein Schauspieler gerade einen Teufel gespielt hat, kann er nicht in der nächsten Szene einen Studenten spielen, denn er muss abgeschminkt und umgezogen werden – und benötigt hier in Feuchtwangen vielleicht auch noch Zeit, um einmal um die Kirche zu laufen, um dann auf der ‚richtigen' Seite wieder auf die Bühne zu gehen. Wenn man einen/eine SchauspielerIn auf der Bühne sieht, hat das meist mit seinen Begabungen zu tun, aber auch damit, wann hat wer Zeit. Wenn ich diese Arbeit fertig habe, weiß ich genau, wie viele SchauspielerInnen und StatistInnen ich für das Stück brauche und kenne den technischen Ablauf des Abends. Nun bin ich bereit, das Stück zu inszenieren.

Der Lutherdarsteller muss ein sehr wandlungsfähiger Schauspieler sein. Luther war anfangs ein sehr ängstlicher Typ, dann spricht ein Hass aus ihm, dann wird er ein wütender Mensch, dann wird er berühmt, ein Star und im Alter wird er ein säuerlicher Mann. In Thomas Hupfer fanden wir einen sehr vielseitigen Schauspieler, der diese charakterliche Bandbreite Luthers gut spielen kann.

Anschließend hoffe ich immer, dass ich einen guten Ausstatter bekomme, wie Hans Winkler in Feuchtwangen. Mit ihm habe ich auch den „Tell" gemacht und noch andere Sachen. Unsere Zusammenarbeit ist sehr eng und wir entwickeln gemeinsam das Bühnenbild und die Kostüme. Die erste Frage ist immer: In welcher Zeit soll das Stück angesetzt werden. Der historische „Tell" lebte um das Jahr 1300, aber wir haben das Theaterstück nicht in diese Zeit gelegt, sondern in die Zeit, in der es von Friedrich Schiller geschrieben wurde, nämlich in das Jahr 1804. In dieser Zeit unterdrückte Napoleon Europa und Schiller war ein freiheitlich orientierter Mensch, der mit dem Drama auf Napoleon hinweisen wollte. Aus diesem Grund haben die Soldaten des Unterdrückers Gessler bei unserer Inszenierung auch Gewehre, was um 1300 noch nicht üblich war. Entsprechend entwickelten wir das Bühnenbild und entwarfen auch die passenden Kostüme dazu. Jedes einzelne Detail wird gemeinsam besprochen. Das dauert. Es ist eine tolle Arbeit und ich mache das wahnsinnig gern. Ich liebe es, alles wachsen zu sehen, und auch, ob und wie unsere Planung schließlich bei den Proben funktioniert.

Der Kostümbildner bereitet anschließend die Kostüme in Absprache mit der Schneiderei vor. Zu den Anproben mit den halb fertigen Kostümen komme ich dazu und wir besprechen eventuelle Änderungen miteinander. Insgesamt ist es eine großartige Zusammenarbeit: Wie machen wir das? Welche Details benötigen wir noch? Ich bin auch sehr froh, wenn der Ausstatter bei den Proben dabei sitzt, wenn er lächelt weiß ich: Ah, gut, das gefällt ihm.

Eine andere große und schwierige Aufgabe ist es, die Musik zusammenzustellen, die zu dem Stück passt. Ich überlege mir: Nehme ich Komponisten, Musikstücke und Instrumentierung aus der damaligen Zeit oder suche ich mir einen adäquaten Komponisten von heute, der so ähnlich schreibt wie damals oder lasse ich die Musik ganz modern machen. Immer stehe ich vor den Fragen: Was suche ich wo? Wo gehe ich hin? Wen kann ich fragen und engagieren? Diese Arbeit muss ich alleine machen, das ist ausschließlich mein Job.

Die Kreuzgangspiele in Feuchtwangen sind Freilichttheater, das ist etwas ganz Spezielles. Es gibt keinen Vorhang, den man zumachen kann, um Umbauten vorzunehmen. Hier braucht es immer einen Grund, warum eine Person von der Bühne abgeht, damit eine Neue auftreten kann. Es muss ein ständiges Kommen und Gehen sein. Das will gut vorbereitet sein und benötigt auch die entsprechenden Texte.

Die SchauspielerInnen suchen Herr Kaetzler und ich gemeinsam aus. Es gibt in Feuchtwangen keine feste Truppe, deshalb kann ich auch welche aus Hamburg mitbringen, die ich schon kenne und gerne für eine Rolle engagiert hätte.

Eine besondere Herausforderung bei den Kreuzgangspielen sind immer die sehr großen Produktionen. Da kann jeder seine Grenzen austesten. Eine tolle Aufgabe. Interessant und ein besonderer Reiz ist es, das alte Gemäuer des Kreuzganges, das so viel Geschichte vermittelt, in die jeweiligen Stücke sinnvoll zu integrieren. Für ‚Luther' brauchte es vergleichsweise wenig Bühnenbild, weil schon alles da war.

Auch die Proben haben hier in Feuchtwangen ihre Besonderheiten, weil drei Produktionen parallel entstehen. Es kann auf der Bühne immer nur eine Probe pro Stück und Tag stattfinden. Alle müssen daher sehr konzentriert arbeiten, und ich als Regisseur sollte sehr genau wissen, was will ich. Trotzdem bleibt meist noch die Zeit, vieles auszuprobieren und zu besprechen. Man kann sich nicht alles am grünen Tisch ausdenken. Manchmal funktioniert das nicht, was man sich ausgedacht hat, dann muss man schnell sein und Abschied nehmen und die Situation neu sehen. Ich bin für jeden guten Gedanken der SchauspielerInnen oder KollegenInnen offen.

Bei ‚Luther' habe ich auch den Dekan von Feuchtwangen gebeten, bei einer Probe anwesend zu sein, um eventuelle Fehler aufzudecken, z. B. bei den Klosterszenen.

Für die Kreuzgangspiele in Feuchtwangen eine Produktion auf die Beine zu stellen, bedeutet auch, dass nur ein im Verhältnis sehr kleiner Theaterapparat alles stemmen muss – im Gegensatz zu einem festen Theater.

Aber wir im Theaterteam sind alle gut drauf. Johannes Kaetzler ist ein wunderbarer Intendant, ein motivierender Intendant. Es gibt auch andere. Wir haben eine gute Arbeitsatmosphäre. Sonst würde es nicht so gut klappen. Alle wollen. Alle sind motiviert. Hier kommen die SchauspielerInnen zur Probe und können ihre Texte schon auswendig und fangen sofort an zu spielen. Das ist wunderbar. Ich habe die Grundidee und dann wird gemeinsam gespielt und ausprobiert, wie man es am Besten umsetzt. Bei einem festen Theater sitzen normalerweise alle erst mal tagelang an einem Tisch und lesen und diskutieren. Hier ist es anders, weil es zeitlich so sehr begrenzt ist. Wir haben nur knappe fünf Wochen für die Proben.

Das rein Organisatorische wird einmal am Tag in der Regiesitzung mit allen Mitarbeitern besprochen. Wo tut es Not? Wo drückt der Schuh? Was muss verändert werden? Was ist morgen dran? Nach der Sitzung ist alles gut strukturiert.

RegieassistentInnen sind für mich unglaublich wichtig. Deren Hauptaufgabe ist die Kommunikation. Als Regisseur allein könnte ich das nicht packen. Ich muss mich auf die SchauspielerInnen konzentrieren und auf das, was auf der Bühne passiert.

Im ‚ersten Leben' war ich eineinhalb Jahre Grundschullehrer in der Schweiz. Ich spürte schon während des Lehrerstudiums meine Liebe zum Theater und ging dann doch noch nach Frankfurt auf die staatliche Schauspielschule und war erst mal Schauspieler. Danach Regieassistent und dann Regisseur.

Heute gibt es Regieschulen, in denen das Handwerk gelernt wird; das gab es damals noch nicht. Damals hat man sich einen Regisseur gesucht, bei dem man assistierte und von dem man viel abgeschaut hat. Und dann hat man auf die Chance gewartet, selbst Regie führen zu dürfen. Ich arbeite nun schon seit dreißig Jahren als freiberuflicher Regisseur. In den 1990er Jahren hatte ich einen Lehrauftrag an der Theaterakademie in Zürich. Zurzeit lebe ich in Hamburg, inszeniere auch meistens dort und fühle mich sehr wohl. Es ist eine schöne offene Stadt, mit viel Wasser und dem Meer in der Nähe. Und zwischendurch bin ich sehr gerne im schönen Feuchtwangen.

Sabine Bolenius   Foto: Privat

Sabine Bolenius
Regieassistentin

RegieassistentInnen sind „Mädchen für alles" und die meisten Menschen wissen gar nicht, dass es diesen sehr vielfältigen Beruf gibt. Er ist auch kein Lehrberuf, man arbeitet sich ein. Mit achtzehn Jahren kochte ich als Hospitantin sehr viel Kaffee, dann wurde ich zweite Regieassistentin bei großen Stücken, erste Regieassistentin bei einem kleinen Stück und irgendwann war ich Regieassistentin. Heute geht der Weg meist über ein Studium im humanistischen Bereich, der Germanistik, Theater- oder Literaturwissenschaften oder über die Schauspielschule. Die Position des Regieassistenten ist sehr begehrt, wird aber nur selten als Langzeitberuf gesehen. Ich bin da mit Anfang fünfzig eher eine Ausnahme. Normalerweise wird Regieassistenz als Sprungbrett oder als Lernprozess für das handwerkliche Können angesehen, das man braucht, um später selbst Regie führen zu können.

Die Theaterstücke stellen sehr unterschiedliche Anforderungen an die Regieassistenten, aber Organisationstalent wird immer verlangt. Hilfreich sind auch eine schnelle Auffassungsgabe, Tatkraft und ein intellektueller Hintergrund. Ich bin eher die Pragmatikerin.

Eine Zeit lang wollte ich mich auch selbst beweisen, habe Regie geführt und Kinderstücke geschrieben. Auch Statistenrollen musste ich immer wieder mal übernehmen, aber es war keine große Freude für mich. Jetzt bin ich in Frieden mit mir selbst und koche noch heute, wenn es superkalt ist, eine Runde heißen Kaffee für alle. Das ist Fürsorge, etwas Mütterliches, ich kümmere mich, damit es allen gut geht.

Meine Hauptaufgabe ist die Logistik und Organisation. Mit meiner Arbeit diene ich dem Regisseur und nehme ihm viel „Hintergrundarbeit" ab, damit er seine ganze Kraft und Energie für die Entwicklung des Stückes verwenden kann. Ich diene aber auch dem Stück und den SchauspielerInnen, halte Termine zusammen, besorge Requisiten bei spontanen Ideen, teile die SchauspielerInnen für musikalische, choreografische und szenische Proben ein ... und probe auch direkt mit einem Einzelnen bestimmte, vor allem choreografische Szenen. Mir macht es sehr viel Spaß, wenn ich es anderen ermöglichen kann, dass sie sich auf der Bühne profilieren können.

Bei allen Proben bin ich dabei und stelle sicher, dass alles, was für eine Probe gebraucht wird, vor Ort ist, zum Beispiel ein langer Rock als „Kostüm", eine Brille, Tische, Stühle, ein Telefon, ein Buch oder eine Obstschale mit Plastikobst. Das Plastikobst lockt manchmal Amseln an, die sich auf eine Leckerei freuen und eifrig darauf einpicken, dann aber enttäuscht und hungrig wieder wegfliegen. Während der Proben mache ich mir Notizen über eventuell gewünschte Umbauten am Bühnenbild, erforderliche Änderungen in der Technik oder auch spontane Einfälle der SchauspielerInnen. Es stellt sich auch öfter die Frage: „Was habe ich denn an dieser Stelle das letzte Mal gemacht?". Ein Stück entsteht während der Proben. Das ist ja das Spannende am Theater, dass man die Zeit hat, sich mit diesen Dingen zu beschäftigen und spontane Einfälle und Änderungsvorschläge in das Stück einbauen kann. Im Gegensatz zum Film, wo alles viel schneller geht. Da gibt es keine Proben und die technischen Details stehen im Vordergrund.

Kleinere Requisiten suche und kaufe ich öfter selbst. Alles andere delegiere ich an Schneiderei, Bühnenmalerei, Schreinerei, Schlosserei ... Meine Aufgabe ist es, die Kommunikation nicht nur zum Regisseur, sondern in alle Richtungen offen zu halten, auch zu den Akteuren, damit alle Beteiligten Bescheid wissen und jeder selbst überprüfen kann, ob Besprochenes auch umgesetzt wird.

Besonders viele Änderungswünsche kommen auf, wenn die SchauspielerInnen in ihren Kostümen proben, weil erst in der Bewegung die Passform der Kleidungsstücke getestet werden kann.

Der Prozess von der ersten Leseprobe bis zur Endfassung ist spannend. Im englischen Sprachraum verwendet man für diesen Prozess das Wort ‚blessing', Segnung. Ich finde es ein sehr schönes und passendes Wort dafür.

Jeder Regisseur arbeitet anders. Bei einem mache ich die Probenpläne, der andere macht das selbst. Bei manchen sind kreative Vorschläge von mir elementar, andere möchten das nicht. Manche reisen mit ihren RegieassistentInnen überall hin. Da übernimmt diese/dieser auch noch andere Aufgaben, wie Organisation eines Chores, Einweisung der Statisten oder sogar Mitarbeit bei Entwicklung der Bühnenbearbeitung eines Stückes.

Ein Musical hat viele Facetten und ist sehr komplex, weshalb es gut koordiniert und kommuniziert werden muss. Der Regisseur und der Choreograf entwerfen die Szenen gemeinsam und der Musikdirektor achtet auf die musikalische Interpretation. Bei den Proben filme ich oft die (Tanz-)Szenen, als Erinnerungshilfe für die SchauspielerInnen. Bevor das Filmen möglich war musste ich genau aufschreiben, welches Bein sich wann worum wickelt.

In Feuchtwangen sind sechs Wochen für die Proben angesetzt. Dies ist eine normale Zeitspanne für eine Theaterproduktion, aber für ein Musical wie „Kiss me, Kate" ist das sehr kurz. Aber in Feuchtwangen reicht die Zeit trotzdem, denn wir haben hier ein unglaublich gutes Team, unwahrscheinlich gute SchauspielerInnen und als Regisseur ist Herr Kaetzler immer extrem gut vorbereitet. Vor zwei Jahren war ich die rechte Hand von Meinhard Zanger in „Der eingebildete Kranke" von Moliere mit dem Schauspieler Horst Janson. Ihn kenne ich ja noch aus meiner Kindheit und es war toll, mit ihm zu arbeiten. Da er viel Text hatte, machte ich mit ihm sehr viel Textarbeit. SchauspielerInnen lernen ihren Text immer alleine, bei Monologen ist das kein Problem, aber bei „Ping-Pong-Sätzen" ist es sehr viel einfacher, diese mit einem Partner zu lernen, der den Gegenpart spricht. Diese Arbeit hat mir viel Spaß gemacht.

Bei den Proben souffliere ich auch noch. Während der Aufführung gibt es, wie mittlerweile auch an anderen Theatern, keine Souffleure mehr.

Dreh- und Angelpunkt der Kreuzgangspiele ist definitiv Herr Asofiei. Für mich ist er der Ansprechpartner für einfach alles. Er weiß ganz genau, wo wer, was, wie und wann macht. In der Größenordnung, in der wir im Moment arbeiten, mit so vielen SchauspielerInnen und so großen Stücken, braucht es eine gute Seele wie Herrn Asofiei, die sich mit viel Liebe und Zeit einbringt.

Sonntags haben wir normalerweise während der Probenzeit frei, falls nicht Proben wegen schlechten Wetters oder Krankheit ausgefallen sind und nachgeholt werden müssen. Wenn das Kinderstück noch nicht gespielt wird, finden üblicherweise drei Proben am Tag statt. Eine Morgenprobe, eine am Nachmittag für das eine und eine Abendprobe für das andere Stück.

Wenn Zeit ist, probe ich mit einzelnen SchauspielerInnen Musikalisches oder Choreografisches. Beides muss oft geübt und wiederholt werden, damit es flüssig wirkt. Für diese Einzelproben gehen wir in die Stadthalle ‚Kasten' oder noch lieber auf die Kreuzgangbühne, wenn sie frei ist.

Dieses Jahr durften wir uns während der Proben an einem Amselpaar erfreuen, das sein Nest auf einem der „Bühnenbäume" gebaut hatte, auf Augenhöhe, direkt neben der Treppe, die auf die Oberbühne führt. Obwohl die SchauspielerInnen oft laut redend und stampfend diese Treppe benutzten, ließen sich die Amseln weder beim Brüten, noch beim Füttern der Jungen stören.

Bei den Premieren bin ich immer sehr nervös, leide und fiebere richtig mit, sodass ich sie mir am liebsten gar nicht anschauen mag. Deswegen bin ich froh, dass es hier in Feuchtwangen eine öffentliche Generalprobe gibt, denn dadurch bekommen alle ein erstes Gefühl für das Publikum, das mit Lachen und Zwischenapplaus das Spiel auf der Bühne beeinflusst und dadurch immer ‚mitspielt', ohne es zu wissen. Auch an festen Theatern werden aus diesem Grund zunehmend öffentliche Generalproben gemacht.

Am Ende der Generalprobe kommen die Schauspielerinnen und Schauspieler zum Schlussapplaus nicht auf die Bühne, das ist ‚Theater-Aberglaube' und wäre ein böses Omen. Bei der Premiere gehen nicht nur die Ensemblemitgliedern, sondern auch alle, die hinter der Bühne mitgearbeitet haben, zum Schlussapplaus auf die

Bühne und freuen sich über den tosenden Applaus und die gelungene Produktion.

Ich lebe jetzt in Jamaika und arbeite mit meinem Mann in unserer Tauchschule als Tauchlehrerin. Theaterarbeit mache ich nur noch in Feuchtwangen während der sechswöchigen Probenzeit. Als „Freiberuflerin" war ich nie an einem festen Theater, sondern wurde nur für jeweils eine Produktion engagiert. Dadurch hatte ich den Luxus und konnte mir auch den Regisseur/die Regisseurin aussuchen. An Stadttheatern gibt es aber fest engagierte RegieassistentInnen. Neben den Proben betreuen sie auch noch die Abendvorstellungen, sind für deren reibungslosen Ablauf zuständig und achten darauf, dass sich keine Routinefehler während des Spieles einschleichen. Auch da sind die Aufgaben sehr unterschiedlich, abhängig vom Theater, dem/der RegisseurIn und vom Intendanten/Intendantin.

Nach der Premiere fliege ich, gesund und abgehärtet durch die vielen Proben im Freien und bei jeder Witterung, in meine neue Wahlheimat Jamaika. Früher machte ich mich auf zu meinem nächsten Engagement als Regieassistentin.

Werner Brenner   Foto: Privat

Werner Brenner
Ausstatter (Bühnen- und Kostümbildner)

Mein erstes Engagement in Feuchtwangen hatte ich 2008 und seitdem arbeite ich immer gerne hier. Meist fällt im Oktober die Entscheidung, ob und, wenn ja, für welches Stück ich als Bühnen- und Kostümbildner bei den Kreuzgangspielen arbeiten darf.

Es folgt eine erste Besprechung zwischen den Regieteams (Regisseure, Bühnenbildner und Kostümbildner) aller Stücke, bei der wir uns auf einen Grundbau der Bühne einigen: Soll es eine oder zwei Spielebenen geben? Soll die zweite durchgehend sein oder nur rechts und/oder links Balkone aufgebaut werden? Oder soll die untere Bühne gar leicht abgeschrägt sein? Wir versuchen eine Lösung zu finden, mit der jede/r seine Bühne und Inszenierung planen kann, denn dieser Grundbau kann im Spielbetrieb nicht verändert werden.

Um eine gute Lösung für das Bühnenbild zu finden, lese ich mich in den Text ein, überlege mir, in welcher Zeit die Handlung spielt und in welcher sie gespielt werden könnte, was uns das Stück heute vielleicht neu erzählen kann, welche Auftritte man braucht und wie die Bühne aussehen könnte. Ich skizziere meine Gedanken, sodass meine Entwürfe unterschiedliche Ideen aufzeigen. Diese Möglichkeiten bespreche ich mit dem/der RegisseurIn. Im gemeinsamen Austausch werden alle Ideen besprochen und dem Stück entlang durchgespielt. Am Ende des Vorgangs entscheiden wir uns für einen Entwurf, bei dem wir alle ein gutes Gefühl haben.

Nachdem nun bestimmte Eckpunkte festgesetzt sind, geht es ans Ausarbeiten der Idee. Die Zeichnungen werden konkreter, ein Modell entsteht. Zeitgleich überlegt der/die RegisseurIn, wie er/sie im entstehenden Bühnenbild inszenieren wird. Diese szenischen Gedanken fließen natürlich in die weiteren Bühnenbildarbeiten ein. Meist führt das zu kleineren – manchmal auch zu größeren – Veränderungen der Bühne. Alles bleibt im Fluss, bis ein möglichst optimaler Spielraum gefunden und ausgearbeitet ist. Und natürlich sollen auch die Kosten und der Arbeitsaufwand im Rahmen bleiben. Das müssen wir bei dem ganzen kreativen Prozess auch immer im Auge behalten.

Um die technische Umsetzung und Machbarkeit geht es auch beim Abgabetermin für das Bühnenbild. Mitte Januar müssen die Pläne und technischen Zeichnungen erläutert und abgegeben werden, damit der Bauhof in den für ihn ruhigeren Monaten mit der Herstellung beginnen kann, ehe im Frühjahr wieder zusätzliche Arbeiten anfallen.

Während dieser Bauzeit telefonieren wir – d. h. die Mitarbeiter am Bauhof und ich öfters miteinander, um beim Bau der Bühnenelemente auftretende Probleme zu besprechen. Wenn nötig und nach größeren Bauabschnitten komme ich für Besprechungen nach Feuchtwangen und schaue mir den Fortschritt an. Es besteht ein eklatanter Unterschied, ob ich den großen Apparat eines Stadttheaters zur Verfügung habe oder den wesentlich kleineren der Kreuzgangspiele. Das ist eine der besonderen Herausforderungen hier in Feuchtwangen. Eine weitere ist, dass es keine Seitenbühne gibt und alle Bauteile klein genug sein müssen, um durch die niedrigen und schmalen Kreuzgangbögen hindurch zu passen. Einen normalen Bühneneingang von sechs Meter Höhe und drei Meter Breite gibt es hier nicht. Auch gilt es zu berücksichtigen, dass alles von maximal zwei bis drei Mitarbeitern in einer kurzen Zeitspanne auf- und abgebaut werden kann, denn es werden täglich zwei Stücke aufgeführt, eines meist vormittags für Kinder und ein Abendstück.

Auch an das Material stellt Freilichttheater besondere Ansprüche. Ich arbeite gerne mit Holz. Das hat den Vorteil, dass es echt und authentisch ist. Aber es hat den Nachteil, dass es sich bei Wind und Wetter verzieht. Eine Bühnenholztür zum Beispiel hat nur ein dünnes Türblatt, damit sie leichter ist. Sie verzieht sie sich daher schnell und schließt oft schon nach ein paar Proben nicht mehr richtig. Daher muss die Tür sehr sorgfältig und exakt angefertigt werden, um diesen Nachteil auszumerzen. Hier habe ich also weniger künstlerische, als viel mehr praktische Probleme. Aufgrund der Proben oder einer Anforderung der Lichttechnik ergeben sich manchmal spezielle Notwendigkeiten, sodass nachgearbeitet werden muss. Noch heute bin ich immer wieder überrascht, welche neuen Probleme auftreten können.

Nach und nach entstehen zudem die Kostüme. Je exakter sich das Bühnenbild formt, ahne ich in welcher Zeit die Kostüme geortet werden sollen. Meine Kostüme sollen zum einen den Menschen auf der Bühne charakterisieren und entsprechend kleiden. Zum anderen soll das Gesamtbild, das auch oft ein Phantasie- bzw. Kunstbild ist, vervollständigt werden. Ich zeichne zuerst den Typ. Ist es ein König oder ein Bettler? Hat er einen Anzug an, ein T-Shirt von der Stange oder ein maßgeschneidertes Hemd mit Krawatte? Ist die Frau emanzipiert, sexy oder hausbacken? Trägt sie eine Hose, einen kurzen oder langen Rock?

Dann werden die Kostümentwürfe, die Figurinen, miteinander in Verbindung gebracht und besprochen. In diesen Gesprächen suchen die Regie und ich Lösungen für eine schlüssige Inszenierung. Dabei liegen die Figurinen oft nebeneinander vor uns auf dem Tisch und es wird zugeordnet und aussortiert, bis für jeden Spieler das Richtige gefunden ist.

Mit diesen Zeichnungen gehe ich Anfang April zur Kostümabgabe in die Schneiderei. Aufwendige, nicht vorhandene Kostüme versuche ich bei anderen Theatern auszuleihen. In dem großen Fundus der Kreuzgangspiele suchen wir nach passenden Teilen, manches wird gekauft und geändert oder auch mit großem Aufwand hergestellt. Dafür werden Stoffe ausgewählt und die Gewandmeisterin erstellt die Schnitte. Es folgen Anproben über Anproben, bei denen ich fast immer dabei sein muss. Für jedes Kostüm haben wir mindestens zwei Anproben, d. h. bei 15 SchauspielerInnen ergibt das über 30 Anproben für jeweils nur ein Kostüm. Die meisten DarstellerInnen haben aber mehr als eines. 2017 für „Kiss me, Kate" gab es viele aufwendige Kostüme – insgesamt etwa 35 – da war ich fast drei Wochen am Stück hier und es war eine sehr aufregende Zeit. Besonders spannend war die Beschaffung einer originalgetreuen US-Marineuniform aus den 50er Jahren. Wir fingen Ende April an zu suchen, riefen alle nahen und fernen Theater, US-Army-Läden und Ähnliches an. Viele hatten die gesuchte Uniform, aber nur in kleinen Größen. Unser Schauspieler war aber ein großer, gestandener Mann ... Eineinhalb Wochen vor der Premiere wurden wir auf ‚Ebay' fündig. Das sehnlichst erwartete Paket mit der Uniform kam aber nicht. Wir standen vor der Entscheidung: Abwarten, ob die Uniform rechtzeitig eintrifft, oder eine nähen? Ich war ungeduldig und entschied mich für Letzteres. Einen Tag nach der ersten Anprobe und nach 15 Arbeitsstunden der Schneiderei kam fünf Tage vor der Premiere das heiß ersehnte Paket. Und die Uniform passte wie angegossen. Wir mussten nur noch die Orden annähen und fertig war das Kostüm. Wäre die Uniform nicht rechtzeitig gekommen, wären es etwa weitere 25 Stunden Arbeit bis zu deren Fertigstellung gewesen.

Die Beleuchtungsproben im Kreuzgang machen Regie, Technik und ich gemeinsam. Sie beginnen um 22 Uhr und dauern bis in den frühen Morgen. Da kann so manche Nacht richtig kalt und sehr ungemütlich werden, vor allem, wenn es regnet.

Besonders spannend und wichtig für mich als Bühnen- und Kostümbildner sind die technische Einrichtung, die AMA und dann natürlich die Endproben. Bei der sogenannten AMA (Alles mit Allem) sind erstmals alle Darstellenden im geplanten Kostüm mit allen Requisiten auf der Originalbühne. Das ist sehr aufschlussreich, denn hier zeigt sich, ob unsere Absicht erfüllt wird und alles so wirkt, wie wir uns die Szenen vorgestellt haben.

Aber ich liebe diese Herausforderungen, da auch die Kommunikation mit den Regisseuren, mit denen ich bisher gearbeitet habe, bestens funktioniert. Deshalb arbeite ich sehr gerne in Feuchtwangen und freue mich immer über ein Engagement für die nächste Spielzeit.

Marion Schultheiss   Foto: Privat

Marion Schultheiss
Schneider- und Gewandmeisterin

Fünf Flaschen Wodka auf unserer Abrechnung – ein neuer Rechnungsprüfer fragt da schon erstaunt nach, wofür wir die brauchen! Nein, nicht für uns zur Entspannung, sondern für Kostüme, die nicht gewaschen werden können. Bevor sie anfangen zu „duften", sprühen wir sie mit Wodka ein. Er bindet den Geruch und macht keine Flecken. Natürlich werden diese Kostüme auch regelmäßig gelüftet und wenn es möglich ist, auch in der Reinigung gereinigt.

Die erste Besprechung mit dem Ausstatter findet meist im Januar statt und dabei bekomme ich auch die Figurinen. Es wird geklärt: Wann fangen wir in der Schneiderei mit der Arbeit an, was wird bei anderen Theatern ausgeliehen, was wird gekauft – für Stücke, die in der Gegenwart spielen, bietet sich das an. Und was nähen wir selbst und wie sollen die Schnitte sein? Nach einem heutigen, bequemen Schnitt und nur die Linienführung historisch, oder komplett historisch, was für unsere heutige Befindlichkeit unbequem ist? Soll ein richtiges Korsett darunter oder nur Stangen zur Stabilität ins Kostüm hinein genäht werden?

Aus unserem Fundus (er enthält ca. tausend Kostümteile) verwenden wir etwas frühestens nach sieben Jahren wieder, sonst könnte es vom Publikum erkannt werden. Oft passen diese Teile aber nicht ins Konzept oder sie haben die falsche Größe.

Es kann auch sein, dass ein Kleidungsstück bei dem/der SchauspielerIn einfach schrecklich aussieht. Dann versuchen wir es zu ändern, trotzdem soll es aber noch das, was es ausdrücken soll, ausdrücken. Die Farbe des Stoffes ist festgelegt. Wenn sie nicht zur Hautfarbe des Schauspielers/der Schauspielerin passt, können wir den Farbton leicht variieren oder die Maske gleicht das mit Schminke aus.

Bei der großen Besprechung im März sind viele Stoffe schon vor Ort und wir besprechen die Details. Was fehlt noch, was muss noch gekauft werden? Manche Stoffe kaufen wir hier in den Stofflä-

Das Team bei der Arbeit ...

Frida Möwitz, Evi Roos, Demelza Pohl, Marion Schultheiss

Marion Schultheiss

Marion Schultheiss

den oder der Ausstatter kauft sie auf dem wöchentlichen großen und günstigen Stoffmarkt in Berlin oder in anderen Städten.

Wir beginnen mit den Näharbeiten in der Schneiderei im April, eine Woche vor Probenbeginn für das Kinderstück. Dann sind auch bald alle SchauspielerInnen da und wir können sie jederzeit zur Anprobe holen.

Für die Kostüme der Abendstücke haben wir etwa fünf Wochen Zeit. Sie müssen zur ersten Hauptprobe fertig sein, das heißt, eine Woche vor der jeweiligen Premiere und dem Fototermin. Wenn der Umfang der Näharbeiten sehr groß ist, unterstützt uns noch eine selbstständige Schneiderin.

Damit die Stoffe keine Wasserflecken bei Regen bekommen, werden sie vor dem Verarbeiten gewaschen. Dann fertige ich anhand der Figurinen und der Maße der SchauspielerInnen die Schnitte an, schneide die Stoffe zu und wir nähen zur ersten Anprobe, d. h. mit großem Stich nur Seitennähte und Schultern. Hosen und Röcke haben weder Taschen, Reißverschlüsse noch Bünde. Halsausschnitte sind noch ganz hoch. Weggenommen ist schnell, dazugeben ein Problem. Die Nahtzugabe bemesse ich sehr großzügig, mit einem „Angstzuschlag" von 5 cm pro Seite.

Bei der ersten Anprobe ist der/die KostümbildnerIn dabei. Ich bin für die Passform verantwortlich und er/sie für das Aussehen. Und natürlich darf auch der/die SchauspielerIn mitreden. Es wird der Halsausschnitt festgelegt, die Ärmelform, eventuelle Verzierungen mit Spitze oder Rüschen. Von der Spitze müssen wir oft mindestens fünf Meter bestellen, daher sind meist Reste im Fundus. So können wir gleich ausprobieren, wie das aussehen würde oder ob eventuell Chiffon besser geeignet wäre. Manchmal sollen auch Ideen von der Regie mit beachtet werden. Wir machen immer ein Foto als Gedächtnisstütze. Der/die AusstatterIn kommt auch zur zweiten Anprobe dazu, dabei geht es um die Details. Es fehlen noch Knöpfe und Knopflöcher, das Futter ist noch nicht komplett zugenäht, die Längen sind noch offen. An diesen Tagen arbeiten wir von morgens neun Uhr, mit einer Stunde Mittagspause, bis sehr spät abends.

Komplizierte Kostüme brauchen mehrere Anproben, insbesondere Funktionskostüme, die sich verwandeln lassen müssen.

Bei „My Fair Lady" haben wir fast alles selbst genäht, Abend- und Alltagskleider. Elisa hatte alleine fünf Kostüme. Da können schon einmal neunzig Kostüme oder mehr, wie auch bei „Luther", auf eine Produktion kommen.

Immer wieder muss mit der persönlichen Eitelkeit des Schauspielers bzw. der Schauspielerin gerungen werden. In dem Stück „Hexenjagd" trugen fünf Damen ganz unscheinbare Kleider in Grautönen, vorn eine Knopflochleiste, ganz gerade und nur mit einem kleinen Gürtel. Die Absicht war, dass sie auf der Bühne als Person verschwinden. Es gab eine große Diskussion, „da sieht man uns ja nicht auf der Bühne. Wir fühlen uns so unwohl". Wir erklärten, warum das so sein soll und suchten Kompromisse. Die Kleider bekamen weiße Krägen und weiße Manschetten und sie wurden ein bisschen auf Figur geschnitten. Sonst würden wir oder die Maske während der Spielzeit als ‚Blitzableiter' fungieren, da der/die AusstatterIn nicht mehr vor Ort ist. Wir sind halt ganz nah am Menschen dran. Natürlich gibt es auch Situationen bei denen die Rolle im Vordergrund steht und wir nicht zu sehr auf die Befindlichkeiten des/der SchauspielerIn eingehen können.

Sollen die Kostüme neu aussehen, werden sie einmal beim Spiel ausprobiert und kommen dann, mit Namen und Szene versehen, in die Garderobe. Jede/r SchauspielerIn hat für jedes Stück ihren/seinen Platz, im Organistenhaus oder im sehr engen Kreuzgang. Dort teilen sich die Requisiten für die verschiedenen Bühnenumbauten, unsere Kostüme und die Maske den wenigen Platz.

Brauchen die Kostüme eine Patina, damit sie abgetragen aussehen, bearbeiten wir sie erst einmal mit Farbe, Fett, Schmirgelpapier und schwarzem Tee. Und sie werden bei allen Proben getragen.

Schuhe, Strümpfe, Strumpfhosen, Schmuck, Brillen, Hüte, Tücher und Handtaschen fallen auch in unseren Aufgabenbereich. In großen Häusern gibt es eine eigene Hutmacherei, Putzmacherei,

Abteilung für Schmuck. Hier übernehmen wir alles mit. Das macht aber auch viel Spaß. Wir nähen auch sonst noch vieles, was genäht werden kann, einen Vorhang für die Bühne oder einfache Puppen, zum Beispiel den kleinen Elch für Ida beim ersten „Michel". Hüte werden meistens gekauft oder wir kaufen ein Basisteil und verschönern es.

Im Fundus haben wir etwa vierzig Handtaschen und dreihundert Paar Schuhe in verschiedenen Größen. Trotzdem kaufen wir oder der/die AusstatterIn jedes Jahr neue dazu; zur Vorsicht eine halbe Nummer größer. Manchmal suchen wir auch die Schuhe in einem örtlichen Geschäft aus und der/die SchauspielerIn probiert sie dort an. Wir achten immer sehr auf den Preis. Einige Jahre lang wurden wir mit zwanzig Paar Schuhen pro Saison von einer namhaften Schuhkette gesponsert, von diesen Schuhen zehren wir immer noch.

Bei den Hauptproben sitze ich mit Schreibzeug dabei und achte auf die Kostüme, wie sie bei Bewegung aussehen und notiere mir, was noch nachgebessert werden muss. Sieht man den Klettverschluss, ist die Hose zu lang, sieht man beim Bücken unter den Rock oder in die Tasche. Manchmal kommen einige Seiten zusammen, die sofort abgearbeitet werden müssen. Die Kolleginnen üben währenddessen den Kostümwechsel hinter der Bühne. Funktioniert alles, müssen wir noch üben oder etwas umorganisieren?

Beim „Schinderhannes" zogen sich zeitgleich sechs Soldaten auf eine andere Rolle um. Da wurde sogar extra eine „Umzugsprobe" auf den Probenplan gesetzt. Bei Spielpausen von mehr als zehn Minuten ist der Kostümwechsel im Organistenhaus. Wir hatten auch schon Umzüge von dreißig Sekunden hinter der Bühne im Kreuzgang, die müssen wir zu zweit machen. Eine setzt den Hut auf und macht oben die Jacke zu, die andere bindet unten die Schuhe. Wenn die Abläufe klar sind, funktioniert das. Außer es passiert eine Panne, z. B. der Reißverschluss klemmt, dann wird improvisiert und wir lassen das erste Kostüm an, ziehen das zweite darüber und helfen mit Sicherheitsnadeln nach.

Es kann auch sein, dass wir auf der Marktplatzseite einen Kostümwechsel haben und eine Minute später auf der anderen Seite. Dann bleibt uns nichts anderes übrig, als mit den Sachen auf dem Arm um die Kirche herum zu rennen – und manchmal auch gleich wieder zurück.

Die für uns anstrengendsten Stücke waren „Mein König und ich" und „Luther", denn dafür wurden fast alle Kostüme von uns genäht. In der Woche vor den Premieren waren unsere Nächte sehr kurz und die Arbeitstage sehr, sehr lang.

Manchmal kommen auch noch kurzfristig Statisten dazu, die eingekleidet werden müssen. Und für die Sondervorstellungen braucht es auch noch Kostüme.

Bei einem Stück war angedacht, dass zwei Bauhofmitarbeiter ein Schiff auf die Bühne tragen. Sie hätten von uns ein Oberteil und einen Helm bekommen. Leider kam dies nicht zustande, sondern fünf Schauspieler übernahmen diese Aufgabe – und jeder brauchte ein Kostüm.

Nach der Premiere ist meine Arbeit als Gewandmeisterin (Kostümkunde, alle – auch historische – Schnitte herstellen, zuschneiden, Anproben, ändern ... beendet. Diese Arbeit mache ich schon seit über sechzehn Jahren, davor war ich vier Jahre als Schneiderin bei den Kreuzgangspielen beschäftigt. Da ich in Feuchtwangen wohne, könnte ich aber im Notfall sofort vor Ort sein. Meine drei Kolleginnen sind gelernte Schneiderinnen und führen während der Spielzeit auch alle nötigen Reparaturen und Näharbeiten durch.

Bei uns bestimmen die SchauspielerInnen selbst, wann ein Kostümteil gewaschen werden soll. Trotzdem laufen unsere Waschmaschinen und Trockner mehrmals täglich. Ein Luftentfeuchter in der Waschküche sorgt bei Regen dafür, dass die nassen Kostüme bis zum nächsten Morgen wieder trocken sind. Das ist ein großes Plus anderen Freilichttheatern gegenüber. Dort werden die nassen Kostüme oft trocken gebügelt oder geföhnt.

Vor Vorstellungsbeginn haben meine Kolleginnen drei Stunden Vorlauf um alles zu kontrollieren und herzurichten. So haben sie in Notfällen noch Zeit zu reagieren. Trotzdem mussten sie einmal improvisieren, weil kurz vor der Vorstellung ein gehasstes Kostüm verschwunden war. Bis zur nächsten Aufführung war es aber neu genäht.

Einmal wurden alle Kostüme mit einer Schere zerschnitten. Zum Glück wurde es einen Tag vor der Vorstellung bemerkt und somit war genügend Zeit zum Reparieren. Und seitdem hängen die Kostüme nicht mehr an diesem allzu leicht zugänglichen Ort.

Vor Jahren wollte eine Schauspielerin unbedingt in einer Szene ein Brautkleid tragen, das aber bei den Proben gestrichen worden war. Sie einigte sich später mit dem Regisseur es doch zu tragen, der aber vergaß, diese Information an uns weiterzugeben. Wir erfuhren es zwei Tage vor der Premiere. Glücklicherweise hatten wir von einem Brautmodegeschäft sechs aussortierte Kleider geschenkt bekommen. Und eines davon passte perfekt!

Nach der Spielzeit komme ich nochmals für eine Woche ins Team zurück, denn ich bin die Einzige, die weiß, was wohin zurückgeschickt werden muss oder wo was eingelagert wird. Alle Kostümteile werden gewaschen oder gereinigt und die Schuhe desinfiziert. Bei Mottenbefall müssten wir radikal sein und alles wegwerfen. Sind diese Arbeiten erledigt, kommen unsere Kostüme in den Fundus und Ausgeliehenes wird zurückgeschickt. Nun atmen wir tief durch und im nächsten Jahr geht es wieder von vorne los.

Manfred Massler   Foto: C. Hinderer

Manfred Massler
Maskenbildner

Vierzig Dosen Haarspray, Wattestäbchen, Wattepads, dermatologisch getestetes Theater-Make-up vom Fachhandel, Lippenstifte vom Drogeriemarkt, – die sind genauso gut, man bezahlt aber keinen Markennamen –, Haarprodukte vom Haarhandel … Der Einkauf zu Beginn der Kreuzgangspiele ist sehr umfangreich. Ich arbeite seit 20 Jahren in diesem Beruf und seit 2001 in Feuchtwangen, und weiß, wo ich was bekomme.

Für das Kinderstück habe ich nur zwei Wochen Vorlauf, für die Abendstücke ist mehr Zeit. Bis zur ersten Hauptprobe muss alles fertig sein.

Meistens beginne ich hier am 1. Mai und richte mir die Räumlichkeit für die Maske im Organistenhaus ein. Einiges bringe ich von zu Hause mit, das Meiste bleibt immer hier oder wird neu eingekauft. Dann hole ich mir die Figurinen (ein gezeichneter Kostümentwurf) und bespreche sie mit dem Ausstatter. Ich bekomme Besetzungslisten welche/r SchauspielerIn welche Figur spielt.

Im Freilichttheater nehme ich Kunsthaarperücken und Standartbärte in Einheitsgrößen. Um eine Perücke zu knüpfen brauche ich etwa fünfzig Stunden, dazu habe ich keine Zeit und es wäre zu teuer. Nur wenn der Ausstatter etwas Spezielles will, knüpfe ich Bärtchen und Schnauzer. Je nach Größe brauche ich dazu drei Stunden bis drei Tage. Ich brauche Tüll, eine Knüpfnadel und anderes Arbeitsgerät und muss mindestens hundert Gramm Haar kaufen, obwohl fünf Gramm für einen Schnauzer ausreichen.

Zum Schminken vor den Vorstellungen wird ein genauer und sehr enger Zeitplan für die Maske erstellt, der exakt eingehalten werden muss. Für das Musical ‚Cabaret' (2015) musste ich zum Beispiel zwei Stunden vor der Vorstellung mit dem Schminken beginnen und benötigte noch Unterstützung durch eine zweite Maskenbildnerin. 2016 wurde ich von einer Hilfskraft unterstützt und wir fingen eineinhalb Stunden vor der Aufführung mit der Arbeit an. 2017 arbeitete ich alleine. Ich brauche durchschnittlich zwanzig Minuten für ein Damen Make-up einschließlich Wimpern kleben und Haare richten; für einen Herrn ca. zehn Minuten. Da muss man sehr schnell sein und es darf keine Diskussionen geben.

Es ist meine Aufgabe, das vorgegebene Design während der ganzen Spielzeit zu halten. Ein/e SchauspielerIn hat oft eigene Ansichten, so nach dem Motto, das will ich nicht, ich will hübsch sein, obwohl die Rolle hässlich sein soll. Gerade bei Damen ist das manchmal schwierig, auch bei professionellen Schauspielerinnen. Das ist halt so bei Menschen. Vor allem eine Frau möchte immer schön sein. Es gibt nur wenige SchauspielerInnen, die sich gern ins Hässliche verwandeln lassen.

Der Erfolg eines Stückes geht nicht auf der Bühne, sondern dahinter los, sämtliche Abteilungen tragen dazu bei. Auf der Bühne sind die Bretter, um den Erfolg auszuleben. Nur wenn alle Sektoren gemeinsam an einem Strang ziehen und als Team zusammenarbeiten, hat man Erfolg. Und wenn nicht, dann eckt es. Zur Maske gehört auch, den Haar- oder Blumenschmuck am Kopf der SchauspielerInnen festzumachen. Hier in Feuchtwangen klebe ich sogar noch die Mikrofone an, obwohl dies eigentlich eine technische Angelegenheit ist. In großen Produktionen – Opern zum Beispiel – macht das ein spezieller Mikrofonkleber. Hüte oder ein Schleier gehören zum Kostüm. Da gibt es strenge Regelungen, wer wofür zuständig ist.

Wenn ein/e SchauspielerIn mehrere Rollen in einem Stück hat, muss ich während der Vorstellung umschminken. Männer werden meistens mit Bart oder Schnauzer versehen, das ist die schnellste Veränderung. Bei Damen ist wirklich Umschminken angesagt. Bei „Arsen und Spitzenhäubchen" spielte zum Beispiel ein einziger Schauspieler fünf verschiedene Leichen. Das hieß für mich: Perücke runter, Bart runter, Perücke drauf, Bart drauf. Dazu kam auch noch der Kostümwechsel. Bei diesem Stück hatten wir sogar für einen Umzug (Kostümwechsel und Umschminken) nur knapp eine Minute Zeit. Normalerweise laufen Umschminken und Kostümwechsel so:

Haben wir weniger als drei Minuten Zeit für diesen Prozess, dann erledigen wir das im Kreuzgang, wo ein kleiner Schminktisch steht. Wenn die Pausen der SchauspielerInnen länger sind, wird diese Arbeit im Organistenhaus gemacht, weil dadurch hinter der Bühne weniger Unruhe entsteht. Das Organistenhaus liegt am Kirchplatz und ist von der Bühne innerhalb einer halben Minute zu erreichen. Beim Umschminken muss es immer zack, zack gehen. Meistens haben wir aber fünf, sechs, acht Minuten Zeit.

Durch den häufigen Wechsel von Bärten (mit Alkohol wird die Haut fettfrei gemacht und dann der Bart mit Klebstoff angeklebt), wird die Haut gereizt und irgendwann fängt sie an, sich zu röten und zu schmerzen. Manche Schauspieler sind rustikal, denen macht das wenig aus, bei anderen ist die Haut nach zwei, drei Mal schon rot; und es gibt Künstler, die vertragen gar nichts. Wenn ich es nicht mehr akzeptieren kann, bleibt der Bart halt weg, obwohl es gewünscht wird. Sicherheit geht vor. Oder wir nehmen einen Bart, der mit einem Gummiband hinter den Ohren fixiert wird, aber das sieht nicht so schön aus. Schlussendlich bin ich der Verantwortliche. Wenn ich jemanden durch meine Tätigkeit verletze, kann man mich verklagen.

Die besondere Herausforderung beim Freilichttheater sind Schweiß und Regen. Bei Regen muss ich alles besonders gut fixieren, Frisuren mit viel Festiger, Make-up mit Fixierspray (das hilft auch bei Schweiß an besonders heißen Tagen) und, falls vorhanden, müssen auch Federn fixiert werden. Ich bin kein Freund von Federn im Freilichttheater. Wenn man eine schlechte Saison hat, gehen viele davon kaputt. Perücken und Bärte werden von mir oder meiner Hilfskraft natürlich auch regelmäßig gereinigt.

Meine Arbeit hier in Feuchtwangen beginnt morgens um 8.30 Uhr für das Kinderstück, das um 10.15 Uhr anfängt – da ist schnelles, effizientes Arbeiten notwendig. Dafür schminke ich allerdings sehr wenig, klebe meist nur Bärtchen und Mikrofone an: Die Morgensonne würde sonst alles herunterbrennen. Bei „Urmel aus dem Eis" (2007) haben die vielen kleinen Tiere alle ein Voll-Make-up bekommen. Wir haben jeden Morgen alle Farben geschminkt und fixiert. Das ist sehr unangenehm für die SchauspielerInnen. Die Alternative wäre eine Vollmaske gewesen, aber da ist keine Mimik mehr möglich.

Maskenbildner ist ein wunderschöner Beruf, aber auch einer der ungesündesten. Wir arbeiten beim Bauen von Skulpturen und anderem mit Dampf, Salmiak, Gummimilch, Klarlack, Haar- und Fixierspray ... Das geht trotz eines speziellen Mundschutzes in den Rachen und ich habe oft einen Frosch im Hals.

Für meinen Beruf brauche ich auch viel Einfühlungsvermögen und muss mit Menschen gut auskommen können. Ich habe das ganze Ensemble als Partner, die SchauspielerInnen haben nur mich. Ich muss das breite Feld beobachten und meine Arbeit durchziehen. Das kostet Energie. Nach der Abendvorstellung gehe ich meist direkt nach Hause, denn es geht am nächsten Morgen wieder weiter. Nachmittags bringt mir ein langer Spaziergang mit meinem Hund Entspannung. Im August wird das Kinderstück nachmittags gespielt, da arbeite ich von 14.30 Uhr bis 23.30 Uhr.

In einer Saison in Feuchtwangen hatte ich richtig Pech. Kurz nachdem ich hier ankam, brach ich mir den linken Arm – ich bin Linkshänder. Trotzdem arbeitete ich weiter, denn so auf die Schnelle war kein Ersatz zu finden.

Wenn die Saison hier zu Ende ist, komme ich nach Hause und stelle fest, es gibt ja auch noch ein anderes Leben. Da muss ich mich erst mal wieder darauf einstellen und vieles neu vereinbaren. Und ich brauche einige Wochen, um mich zu erholen.

Singen ist mein neues Hobby. Das geht in die Seele. Gesangsunterricht hatte ich aber nie gehabt, ich bin wohl ein Naturtalent.

2015 trat ich bei der Mitternachtsshow, eine Sondervorstellung der Kreuzgangspiele, das erste Mal selbst als Sänger im Kreuzgang auf. Damals waren auch noch einige andere KünstlerInnen mit mir auf der Bühne, im folgenden Jahr stand ich ganz alleine dort, nur begleitet von dem Pianisten, dessen Klavier seitlich auf der Bühne platziert war. Dieser eine, erste Schritt auf die Bühne war gar nicht einfach und es war sehr aufregend für mich, allein dort vor vollem Haus zu stehen und mein Lied vorzutragen.

Das Geheimnis beim Singen ist, die Leute zu berühren und nicht nur Klamauk zu machen. 2015 hat der Schauspieler Horst Janson zu mir gesagt: „Weißt Manfred, schöne Stimmen gibt es Millionen, aber dass ein Lied die Menschen tief in der Seele berührt, das gibt es nur selten".

Inzwischen habe ich angefangen, das Klavierspiel zu lernen, und ich hoffe, dass es mir in zwei bis drei Jahren möglich sein wird, mich bei einem Liedvortrag selbst zu begleiten. Ich bin Ende fünfzig und vielleicht wird das meine „Rentnerkarriere".

Lennart Matthiesen und Manfred Massler

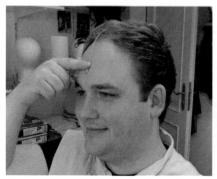

Das Mikrofon ...   ... verschwindet unter einer Perücke

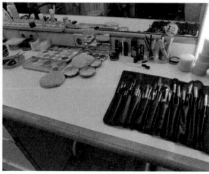

Kapitän Hook „Peter Pan" 2016

Teddy Brewster „Arsen und Spitzenhäubchen" 2016

Maske im Organistenhaus

Kleine Maske im Kreuzgang

Max Kraft   Foto: Privat

Max Kraft
Licht und Ton

Eine Kletterausbildung ist noch kein „Muss" in meinem Beruf – Fachkraft für Veranstaltungstechnik – aber sie wäre durchaus sinnvoll, weil wir oft in schwindelnden Höhen arbeiten müssen. Zum Wechseln einer defekten Lampe klettere ich über eine Leiter in die Traverse, ein viereckiges Metallgerüst, an dem die Scheinwerfer im Kreuzgang befestigt sind. Gesichert mit einem Klettergurt, balanciere ich vorsichtig bis zur defekten Birne und lege mich dann auf das Gerüst. Wenn die Birne tiefer hängt und auf diese Art nicht zu erreichen ist, hänge ich mich mit dem Gurt in das untere Rohr ein und lasse mich fallen. Um wieder heraufzukommen, habe ich eine kleine Strickleiter dabei. In einen an einem Seil befestigten Eimer, lege ich die defekte, oft sehr große Birne, lasse sie hinunter zu einem zweiten Mann und ziehe den Eimer mit der neuen Birne wieder hoch. Bei dieser Arbeit muss aus Sicherheitsgründen immer ein Zweiter für den Fall der Fälle dabei sein, das kann auch jemand vom Bauhof sein. Es besteht immer die Gefahr, dass man sich den Kopf anschlagen und bewusstlos werden oder anderweitig schwer verletzen könnte.

Wenn während der Aufführung eine Birne kaputt geht, unterbricht die Sicherung den Stromkreis – jeder Scheinwerfer ist über eine eigene Sicherung abgesichert – und es wird ohne diesen weitergespielt. Die Lampen werden auch nie ganz ausgeschaltet, drei Monate lang laufen sie immer mit einer Leistung von drei Prozent, damit sie leicht erwärmt bleiben und Regen sofort verdampfen kann. Außerdem gehen sie dadurch nicht so schnell kaputt, denn das passiert meistens beim Einschalten. Den höheren Stromverbrauch spart man auf diese Weise wieder ein. Pro Saison gehen meistens drei bis fünf Birnen kaputt.

Das Problem beim Auf- und Abbau hier im Kreuzgang ist, dass kein Gefährt hereinfahren kann. Wir müssen alles hinein und wieder heraus tragen. Einzig ein kleiner Personenlift für uns Techniker und ein elektrischer Kettenlift für das Material erleichtern unsere Arbeit. Für diese Lifte benötigen wir Platz. Deshalb sind wir Anfang April die Ersten, die mit dem Aufbau beginnen. Nach uns wird dann die Tribüne und zum Schluss die Bühne aufgebaut, abgebaut wird in umgekehrter Reihenfolge.

Zum Aufbau der Licht- und Tonanlage im Kreuzgang benötigen wir zwei Tage. Zuerst werden die Steher (in einem Betonfundament im Boden fest verankerte Säulen, an denen die Traversen montiert werden), zusammengesetzt. Die Traversen bauen wir auf dem Boden zusammen (die Einzelteile sind maximal drei Meter lang, das ermöglicht eine platzsparende Lagerung außerhalb der Festspielzeit), die Scheinwerfer werden anmontiert, verkabelt und getestet. Wir haben auch noch zusätzliche große Scheinwerfer, Profiler, die oberhalb der Tribüne an der hinteren Wand des Kreuzganges hängen. Damit kann man quadratische oder rechteckige Lichteffekte zaubern, um etwas speziell in Szene zu setzten. Wenn alle Lampen funktionieren, ziehen wir die komplette Traverse mit den Scheinwerfern hinauf und schrauben sie an die Steher. Nach der Saison wird in umgekehrter Reihenfolge abgebaut. Die Scheinwerfer und die Lautsprecher werden oben im Haus des Kulturamtes gelagert, die Traverse im Bauhof.

Seit 2010 bin ich bei den Kreuzgangspielen dabei und teile mir die Arbeit mit meinen mittlerweile drei KollegInnen, Annalena Christ, Lorenz Lischke und Niklas Gross relativ gerecht auf.

In einem Zimmer oberhalb der letzten Sitzreihe der Tribüne ist unser Licht- und Tonregieraum. Im Mai richten wir die Technik ein, das heißt, wir programmieren das Licht und die Töne für die Stücke. Dabei sind wir immer zu zweit und gehen das Stück mit dem Regisseur und manchmal auch dem Bühnenbildner durch. Wir bekommen genaue Instruktionen darüber, wann auf der Bühne welche Stelle wie lange, mit welchem Scheinwerfer und in welcher Farbe ausgeleuchtet werden soll. Manchmal machen auch wir Vorschläge.

Das Licht können wir nur nachts programmieren, beginnend um 22 Uhr. Oft ist auch ein/e RegieassistentIn dabei, um die auszuleuchtenden Positionen des/der SchauspielerIn auf der Bühne genau anzuzeigen. Wenn wir schnell sind, brauchen wir fünf Stunden für ein Stück, es kann aber auch deutlich länger dauern. Bei einem Abendstück haben wir oft achtzig verschiedene Lichtstimmungen, das sind bei zwei Stunden Aufführungsdauer eigentlich nicht viel, es ändert sich im Schnitt nur alle zwei bis drei Minuten etwas. Für das Kinderstück, das nur einmal abends gespielt wird, gibt es wenig Lichtstimmungen. Tagsüber wird nur etwas aufgehellt, damit die Gesichter lebendiger aussehen. Wenn die Abendstücke tagsüber gespielt werden, bleibt die Ausleuchtung wie am Abend. Wenn die Sonne scheint, sieht man das definitiv nicht, aber wir bleiben in der Routine.

Die technische Einrichtung eines Musicals ist wesentlich aufwendiger. Manchmal kommt in diesem Fall noch ein Toningenieur dazu. Bei den Kreuzgangspielen wird immer live gespielt und auch gesungen. Jeder Musiker des kleinen Orchesters hat ein eigenes Mikrofon auf einem Stativ in der Nähe des Notenständers und jede/r SängerIn ist mit einem eigenen Mikrofon ausgestattet. Das ist auf jeden Fall anders, als wenn ich die Musikbegleitung auf Knopfdruck abspielen würde und der/die SchauspielerIn dazu singt. Vor jeder Aufführung wird jedes Mikrofon beim Soundcheck einzeln ausgetestet. Einer von uns steuert während der Vorstellung am Mischpult mit. Wenn zum Beispiel ein Sänger leiser singt, korrigiert man das lauter. Es soll ja bei jeder Aufführung gleich ausgewogen klingen. Deswegen sind wir während dieser Aufführungen auch immer zu zweit. Einer steuert die Musik aus, der andere ist für das Licht und die Töne (Tür knallen, ein Schuss, Glockengeläut …) verantwortlich.

Für die Beschaffung der Geräusche und der Musik gibt es verschiedene Möglichkeiten. Entweder bekommen wir vom Regisseur eine CD mit den Tönen, die benötigt werden, oder wir nehmen sie selber auf. So zum Beispiel das Glockengeläut der Stiftskirche, damit die Einheimischen das wiedererkennen. Einen Schuss, ein Türklingeln oder Klopfen gibt es teilweise auch online, das müssen wir dann nur noch schneiden. Die Musik fürs Kinderstück „Peter Pan" wurde eigens in einem Tonstudio erstellt.

In unserem Licht- und Tonregieraum haben wir zwei Rechner, einer ist zur Sicherung der Daten und ein zweiter für die Musik bei Musicals. Für jede Szene sind die Ton- und Lichteinstellungen (welcher Scheinwerfer ist an und wie lange) exakt programmiert, sie werden in einzelnen Sequenzen gespeichert und nacheinander getrennt gelistet. Auf diese Weise brauchen wir nur noch den jeweiligen Knopf zu einem bestimmten Stichwort oder auf Sicht zu drücken. Wenn z. B. ein Koffer durch die Luft fliegt und auf der Bühne aufkommt oder wenn der/die SchauspielerIn einen imaginären Lichtschalter drückt, dann muss der Ton bzw. das Licht natürlich zeitgleich an- oder ausgehen.

Meine linke Hand drückt bei der Vorstellung den Knopf für das Licht und die Rechte den für den Ton. Das ist ein wunderbares Training für die beiden Gehirnhälften. Vor der Generalprobe haben wir die Stücke schon sieben- bis achtmal geprobt, komplett mit Ton und Licht. Bei den Aufführungen lesen wir den Text im vorliegenden Textbuch mit. Das ist reine Kopfarbeit und erfordert viel Konzentration. Den Text kann ich am Ende der Spielzeit auswendig. Diese Routine birgt aber auch das große Risiko, Fehler zu machen. Deswegen wechseln wir uns täglich ab. Hinzu kommt, dass es hier oben unter dem Dach bei sommerlichen Außentemperaturen ganz schön heiß wird und der Raum von den Geräten noch zusätzlich aufgeheizt wird. Eine Klimaanlage würde gar nichts nützen, weil eine Videokamera im offenen Fenster steht und das Geschehen auf der Bühne aufnimmt und es auf den großen Bildschirm vor uns projiziert. Ein Ventilator macht zu viel Lärm, denn wir müssen die Stichworte hören. So bleibt uns nur der Durchzug von einem Raum zum anderen mit offenen Fenstern. Wenn man schwitzt, den Text auswendig kennt und es richtig heiß ist, fällt die Konzentration sehr schwer und die Müdigkeit nimmt zu. Zur Vorsicht sind wir bei solchen Temperaturen immer zu zweit und haben einen Blick aufeinander. Wir sind halt Menschen und keine Maschinen. Es läuft hier nichts automatisch, sondern es wird alles mit Hand gesteuert.

Der häufigste Fehler ist, wenn man eigentlich den Knopf für das Licht drücken müsste, aber aus Versehen den für den Ton drückt.

Das fällt zum Glück meist nicht so sehr auf, denn man kann Musik sofort wieder stoppen. Bis das Lied überhaupt angefangen hätte, ist es schon wieder weg. Bei einem Knall oder Gewehrschuss wäre das anders. Mir ist dieser Fehler einmal unterlaufen, als der „Brandner Kasper" vom „Boinlkramer" abgeholt und ins Paradies geführt wurde. Sie sollten mit himmlischer Musikbegleitung an der Seite der Tribüne von der Bühne abgehen. Die Musik fing schon an, solange sie noch auf der Bühne waren, dann sollte es zum Umbau auf der Bühne dunkel werden, die Musikbegleitung aber weitergehen. Ich habe aus Versehen statt das Licht auszumachen, den Ton gestoppt. Deswegen war es dann ausnahmsweise ganz still auf deren Weg ins Paradies ...

Mit dem Wind haben wir im Kreuzgang wenig Probleme, die Bühne ist recht weit unten und dadurch abgeschirmt. Daher werden Funkmikrofone nur bei Stücken eingesetzt, in denen auf der Bühne gesungen wird. Wir tauschen jeden Tag vor der Aufführung die Akkus aus oder, wenn es kaputt ist, auch gleich das ganze Mikrofon. Besonders Haarspray und Schweiß können es verkleben.

Wenn während einer Aufführung ein Mikrofon ausfällt, das kommt eher an extrem heißen Tagen vor, wenn viel geschwitzt wird, tauschen wir es entweder sofort aus – je nach Rolle und Kostüm und das nur, wenn wir zu zweit sind – oder es bleibt leider aus. Lieber wird ohne Mikrofon leiser gesungen, als dass es kracht und knallt. Die Mikrofone sind alle im Gesicht angeklebt, oft noch unter der Perücke, und das Kabel geht unter der Kleidung den Rücken hinunter zum Funkkasten. Daher ist es schwierig, eines während der Aufführung auszutauschen.

Wir kaufen zu jeder Spielzeit neue Akkus, denn die Winterpause würden sie nicht überstehen. Sie bleiben den Tag über zum Entladen an und werden über Nacht wieder aufgeladen.

Geheimnisvolle Nebelschwaden über die Bühne ziehen zu lassen gehört auch zu unserem Aufgabengebiet. Die beiden Nebelmaschinen sind klein, etwa 70x35x30 cm. Der Nebel wird aus einem geruchlosen Wasser-Ölgemisch, gemacht und ist nach dem deutschen Arzneimittelbuch physiologisch unbedenklich. Reines Wasser würde zu schnell verdampfen. Wie lange ‚genebelt' wird und wie dicht er sein soll, wird über einen Schieberegler von unserem Regieraum aus gesteuert. Bei hoher Luftfeuchtigkeit bleibt er länger stehen und wir regeln früher herunter, damit er sich rechtzeitig verziehen kann. Der Nebel, wenn man ihn nicht gewohnt ist, ist schon etwas unangenehm. Wenn er über die Tribüne zieht, beginnen die ZuschauerInnen zu husten. Die SchauspielerInnen haben sich schon daran gewöhnt, denen macht das nichts aus.

Die Kanone bei „Peter Pan" wurde auch von uns bestückt. Der Schauspieler zündete sie per Knopfdruck, wir verstärkten nur noch den Knall.

Nebelmaschinen und Bühnenlautsprecher – das sind Lautsprecher die nur die Bühne beschallen, damit die Schauspieler sich selbst auch singen hören – werden vor jedem Stück auf- und danach wieder abgebaut. Eine Stunde vor Einlass prüfen wir, ob alle PCs und Lampen funktionieren und tauschen sie gegebenenfalls aus. Wenn alles gut ist, gehen wir meistens vor den Aufführungen noch etwas essen und dann geht es los.

Mit den technischen Anlagen versuchen wir auf dem neuesten Stand zu bleiben, aber eigentlich ist alles im nächsten Jahr schon wieder überholt. Die Traverse im Kreuzgang wurde zusammen mit der neuen Tribüne erstmals 2010 aufgebaut und hat 80.000 Euro gekostet. Die beiden Mischpulte 24.000 Euro, ein Scheinwerfer kostet 1.000 – 3.000 Euro. Davon haben wir mehr als fünfzig. Diese Anschaffungen lohnen sich, das alles zu mieten wäre wesentlich teurer. Die Kaufentscheidung hatte der damalige technische Leiter Thomas Schwarzensteiner getroffen, jetzt bin ich dafür zuständig.

Wir betreuen neben den Sondervorstellungen, wie zum Beispiel die Mitternachtsshow, auch das Kleinkind- und Jugendstück im ‚Nixelgarten'. Für alle anderen Veranstaltungen der Kreuzgangspiele, wie zum Beispiel die Museumsnacht im Fränkischen Museum oder in der Spielbank, verleihe ich oft meine eigenen Scheinwerfer und baue sie dort auch auf. Wie die meisten in meinem Beruf bin ich selbstständig. Neben den Kreuzgangspielen mache ich mit meinen Kollegen auch noch andere Veranstaltungen im Sommer. Wenn einer hier in Feuchtwangen frei hat, ist er oft bei einem anderen Event. Es ist halt Saisonarbeit. Im Winter haben wir deutlich weniger zu tun.

Während der Spielzeit haben wir nur mit den SchauspielerInnen Kontakt, die Mikrofone haben. Manche kennen wir schon über Jahre und wir gehen oft nach der Aufführung miteinander etwas trinken, somit ist auch der soziale Kontakt vorhanden.

Da ich in der Nähe von Feuchtwangen wohne, bin ich glücklich, wenn ich wieder für das kommende Jahr für die Kreuzgangspiele gebucht werde und den Sommer hier arbeiten kann.

Lorenz Lischke und Max Kraft

Hoch hinaus ...

... geht es zum Wechseln eines defekten Scheinwerfers

Elmar Sölle   Foto: C. Hinderer

Elmar Sölle
Künstlerischer Maler, Ausstatter des Kinderstückes, Requisiteur

Mein „Kreuzgang-Atelier" ist in einer Halle des Bauhofes untergebracht, wo ich auch das Meiste male. Nur sehr große Teile muss ich aus Platzgründen im Kreuzgang bemalen. Da parallel zu meiner Malerei die Proben für alle Theaterstücke laufen, ist das aber die große Ausnahme, denn es ist zeitlich und räumlich schwierig zu koordinieren. Unfertige Bühnenteile, wie zum Beispiel Treppen, müssen während der Probenzeit oder wenn schon das Kinderstück läuft, von den Bauhofmitarbeitern vom Kreuzgang zum Bauhof transportiert werden. Leider kann den Bauhofmitarbeitern der Rücktransport zum Theater nicht erspart werden, damit ich auf der Kreuzgangbühne an dem Bühnenteil weiterarbeiten kann.

Wenn die Bühnenteile von den Schreinern fertig gebaut sind, greife ich zu Pinsel und Farbe und gestalte sie in der vom Bühnenbildner vorgegebenen Optik. Ich beginne mit den künstlerischen Malerarbeiten für die Kulissen des Kinderstückes. Danach arbeite ich parallel an den Bühnenbildern für die Abendstücke nach den Plänen und detaillierten Zeichnungen des jeweils zuständigen Ausstatters, die zuvor in vielen Sitzungen mit mir sehr ausführlich besprochen worden sind. Ein Problem ist, dass die Lichtverhältnisse in der großen Halle im Bauhof völlig anders sind als im Kreuzgang. Im Vergleich zum klaren Tages- und Scheinwerferlicht der Theaterbühne, ist das Licht in der Bauhofhalle eher diffus. Aus diesem Grund musste einmal die komplette Kulisse vom Kreuzgang zurück in den Bauhof gefahren werden. Der zuständige Bühnenbildner und ich verbrachten den ganzen Sonntag vor der Premiere dort, weil wir alle Kulissenteile plastischer malen mussten. Zum Glück blieb solch eine „Sonderschicht" bis jetzt aber einmalig.

Das Malen eines Bühnenbildes dauert etwa einen Monat. Für jedes Stück verbrauche ich zwei bis drei Eimer weißer Farbe und entsprechend viel Abtönfarbe. Die Farben verdünne ich zur besseren Verarbeitung mit Wasser. Der Arbeitsvorgang beginnt damit, dass ich die Konturen der Motive mit Kreide oder Kohlestift vorzeichne.

Nach der Grundierung beginne ich mit dem Farbauftrag. Es müssen viele verschiedene Farbschichten aufgetragen werden. Dies ist zeitaufwendig, weil jede einzelne Schicht erst trocknen muss, bevor ich die nächste aufmalen kann. Zum Schluss wird alles mit wetterbeständigem Lack überzogen, da das Bühnenbild auch vor heftigen Regengüssen geschützt sein muss. UV-Schutz ist nicht nötig, denn die Kulissen müssen ja nur drei Monate halten.

Sobald ein Kulissenteil fertig ist, bringen es die Bauhofmitarbeiter in den Kreuzgang, stellen es dort auf und es kann damit geprobt werden. Meine Arbeit ist mit den Mitarbeitern des Bauhofes gut abgestimmt und wir unterstützen uns gegenseitig. Manchmal malen auch die Bühnenbildner der jeweiligen Stücke mit. Im Idealfall ist alles eine Woche vor den Hauptproben fertig, spätestens aber beim Fototermin.

Da sich während der Proben noch manches entwickelt oder als unpraktisch erkannt wird, werden häufig noch Kleinigkeiten verändert. Die Hauptelemente bleiben aber auf jeden Fall erhalten.

Kleinere Bühnenteile und Requisiten, die richtig ins Auge stechen sollen, baue ich auch selbst. Zum Beispiel fertigte ich beim „Brandner Kasper" das Fernrohr. Die Feinheiten so mancher Requisite, z. B. einer Kanone oder einer Lokomotive, gestaltete ich auch selbst.

Als Ausstatter des Kinderstückes bin ich für die gesamte optische Gestaltung dieser Theateraufführung zuständig. Im August erfahre ich, was in der nächsten Saison gespielt wird. Ich lese mich in den Stoff ein und schaue mir auch, falls vorhanden, Verfilmungen an. Nun lasse ich meiner Fantasie Flügel wachsen und erstelle ein erstes grobes Konzept für das Bühnenbild, d. h. ich mache Skizzen für die einzelnen Szenen und lasiere sie etwas farbig.

In vielen persönlichen und telefonischen Gesprächen mit dem Regisseur entwickeln wir gemeinsam die Feinheiten. Meine detaillierten Pläne muss ich spätestens im Januar an den Bauhof geben. Es folgen einige Besprechungen mit den dortigen, fachlich sehr versierten Mitarbeitern zur technischen Gestaltung meines Planes. Bei mir als kreativem Menschen ist das technische Verständnis doch sehr begrenzt. Ich freue mich immer über die guten Einfälle und Ergänzungen der Handwerker zur Umsetzung meiner Pläne in die

Praxis.

Anhand der detaillierten Skizzen stelle ich ein Modell in der Größe 1:50, 1:100 oder 1:75 her, um zu sehen, ob die Proportionen passen. Es wird auch den SchauspielerInnen zu Beginn der Proben gezeigt, damit sie eine Vorstellung vom Bühnenbild bekommen.

Während der Spielzeit bin ich für die farblichen Reparaturen am Bühnenbild zuständig. Stellen, die von Sonne und Regen verblasst oder durch das Spielen abgesplittert sind, werden ausgebessert. Manchmal muss ich auch ganze Teile austauschen. Während einer Spielzeit gehen Kleinigkeiten immer kaputt, auch wenn alles gut gebaut ist.

Die Requisiten sind meine zweite große Aufgabe. In der Stadt – Im Zwinger 1 – befindet sich der Kleiderfundus, im oberen Stockwerk des Organistenhauses der Kleinteilefundus: Geschirr, Pfannen, Tiegel, Gläser, Musikinstrumente, Koffer, Taschen, Körbe. Wir haben auch ein umfangreiches und gut gesichertes Waffenlager. Wenn Requisiten gebraucht werden, weiß ich genau, wo sie zu finden sind.

Mein ergiebigster „Einkaufsladen" ist der Wertstoffhof! Was andere wegwerfen, können wir auf der Bühne oft gut gebrauchen. Bei der Besorgung neuer Requisiten unterstützt mich manchmal Herr Asofiei, der Leiter des künstlerischen Betriebsbüros und hin und wieder fährt er oder auch ein Bauhofmitarbeiter, am Wochenende los, um erworbene Neuanschaffungen abzuholen. Aber meistens besorgen die Ausstatter selbst, was sie benötigen oder wir suchen gemeinsam im Fundus, ob sich etwas Passendes findet.

Meine Berufsbezeichnung hieß früher Dekorateur, heute „Visuelles Marketing". Die Ausbildung umfasst, neben Dekorieren und Malen, auch noch Bildbearbeitung am PC. Ich habe mich als freischaffender Künstler auf Dekorationsmalerei, vor allem auf Decken- und Wandmalerei in Räumen und Sälen, spezialisiert. Seit acht Jahren arbeite ich für die Kreuzgangspiele: als Bühnenbildner des Kinderstückes, Requisiteur und künstlerischer Maler. Das Engagement gilt jeweils, wie üblich, für eine Spielzeit. Ich wohne hier in Feuchtwangen und freue mich immer, wenn ich für die nächste Saison wieder engagiert werde.

Herr Sölle verstarb im August 2017.

Bernd Meyer   Foto: Privat

Bernd Meyer
Musikalischer Leiter

Im Jahr 2011 übernahm ich erstmals die musikalische Leitung bei den Kreuzgangspielen, und zwar für das Musical „My Fair Lady". Mit „Kiss me, Kate" betreue ich nach „Anatevka" und „Cabaret" nun schon das vierte Musical hier.

Im Januar fing ich an, mich intensiv mit „Kiss me, Kate" zu befassen. Wenn es keine ‚kleine musikalische Fassung' gibt, müssen wir alles neu arrangieren. Dabei ist der Bassist Markus Fritsch mein hilfreicher Unterstützer. Die große Herausforderung für uns ist, Musicals, die für den Broadway für zwanzig Einzelstimmen geschrieben wurden, in eine kleine, reduzierte ‚Kreuzgangfassung' zu bringen. Dabei stellen sich für uns folgende Fragen: In welcher reduzierten Besetzung hört sich die Musik am besten an? Welche Stimmen sind elementar wichtig? Dazu spielen wir das gesamte Notenmaterial in den Computer ein und schalten dann beim Anhören Einzelstimmen stumm, um herauszufinden, wie sich das Stück ohne diese Stimme anhört. Wenn wir genau wissen, welche Stimmen notwendig sind, überlegen wir, welche Instrumente sie spielen sollen. Nach vielen Diskussionen kristallisiert sich eine Besetzung heraus, die wir dann ausprobieren. Bis ein Arrangement stimmig steht, ist es ein langer Prozess. Bei „Kiss me, Kate" haben wir uns für folgende Besetzung entschieden: ein Klavier, einen Geiger und fünf Blechbläser.

Mit dem Intendanten und Regisseur dieses Stückes, Herrn Kaetzler, diskutierte ich auch viel darüber, ob es eher akustisch, kammermusikalisch oder richtig groß klingen soll. Es gibt viele Stadttheater, die versuchen, mit wenig Musikern und elektronischen Hilfsmitteln die Musik groß klingen zu lassen. Aber das passt nicht zum Kreuzgang. Wir wollen es so akustisch klingen lassen, wie es nur möglich ist, ohne Hilfsmittel. Es soll diesen ehrlichen Charme haben. Unser Spiel wird von der außerordentlich guten Technik verstärkt und klingt im Kreuzgang fantastisch. Ich kann es leider nie von vorne hören, weil ich immer mitspiele – mein Klavierpart ist unersetzlich. Es werden aber Mitschnitte gemacht und so kann ich unseren Part später anhören und kontrollieren.

Die Musiker werden von mir ausgewählt und wir proben ab Februar in unserem Heimatort Regensburg. Nur während der Probenwochen bis zur Premiere wohne ich in Feuchtwangen, meine Musiker dagegen sind Pendler. Während der Spielzeit wohne ich wieder in Regensburg und wir fahren in Fahrgemeinschaften zur Aufführung nach Feuchtwangen und danach wieder zurück.

Auf der Autobahn A6 ist immer viel los. Eine besonders stressige Fahrt nach Feuchtwangen ist mir noch in lebhafter Erinnerung. Auf fast der gesamten Strecke waren an diesem Tag Staus und Umleitungen – dort ging es natürlich auch nur zähflüssig voran. Wir standen in ständigem Telefonkontakt zu Herrn Kaetzler, der natürlich auch immer nervöser wurde und hoffte, dass wir noch pünktlich zum Beginn des Musicals ankommen würden. Kurz vor halb neun rannten wir über den Kirchplatz, machten unsere Instrumente einsatzbereit und dann ging die Vorstellung auch schon los. Seither fahren wir früher los und gehen vorher noch essen – oder auch nicht.

Meine erste Produktion in Feuchtwangen war eine sehr aufregende. Ich ordere beim Verlag Noten für ein Arrangement mit einer Besetzung von fünf Musikern ohne Klavier. Nach Erhalt der Noten gingen wir sofort in den Probenraum und fingen an zu spielen und wir wunderten uns über die vielen Generalpausen. Es stellte sich heraus, dass dieses Arrangement zwar für fünf Musiker geschrieben war, aber halt mit Klavier! Es folgte die schwierige Suche nach einem Pianisten, der Zeit für die vielen Vorstellungen während der Festspielzeit hatte. Und finanziell war er auch nicht einkalkuliert …

Mein Aufgabenbereich hier bei den Kreuzgangspielen ist recht umfangreich: Neben dem Arrangement betreue ich musikalisch alle Proben bis zur Premiere und mache mit den SchauspielerInnen/ SängerInnen die musikalische Einstudierung. Hier in Feuchtwangen fange ich einige Tage vor den szenischen mit den musikalischen Proben an, denn das Musikalische muss langsam wachsen, um richtig gut zu werden. Das finde ich sehr positiv. Ich habe es auch schon anders erlebt.

Auch mit dem Choreografen arbeite ich eng zusammen und bin in seinen Proben ebenfalls dabei, denn Bewegung und Gesang müssen harmonieren. Anfangs probe ich mit den SängerInnen in der Stadthalle ‚Kasten' und begleite sie auf dem Klavier. Zwei Wochen vor der Premiere kommen alle Musiker dazu, das ist natürlich eine große Veränderung und bedeutet Stress. Und zuletzt kommen auch noch die Kostüme dazu. Da kann es passieren, dass gut Eingeübtes plötzlich nicht mehr gut funktioniert. Aber das wird schnell überwunden, denn das Ensemble ist musikalisch geschult und wurde auch speziell für die Herausforderungen der Kreuzgangspiele gecastet. Aus diesem Grund lässt es sich für mich hier auch wunderbar arbeiten. Anders wäre es aber in nur sechs Wochen Probenzeit nicht zu schaffen, vor allem, weil in der letzten Woche vor der Premiere kaum noch etwas erarbeitet wird; jetzt geht es vor allem darum, das Miteinander zu verzahnen und die Durchläufe zu proben. In Stadttheatern wird oft zwei Wochen musikalisch ‚vorgeprobt' und danach kommen noch einmal sechs bis sieben Wochen reine Probenzeit. Bei den Kreuzgangspielen werden jedes Jahr aus Zeitgründen immer zwei, zeitweise sogar drei Stücke parallel geprobt, was an einem normalen Theater nicht der Fall ist. Daher wird hier sehr, sehr hart gearbeitet. Aber alle sind gut drauf, die Stimmung ist gut und alle kommen gerne wieder nach Feuchtwangen.

Bei den Aufführungen spielen wir Musiker auf engstem Raum im überdachten Kreuzgang seitlich der Bühne. Dadurch sind wir zwar vor Regen geschützt, müssen uns aber durch das Spielen im Freien trotzdem mit dem Wetter arrangieren. Beim elektronischen Klavier gibt es natürlich keine Probleme, aber Naturinstrumente verstimmen sich bei Regen und Kälte stark. Zwischen den Songs sind wir von der Technik abgeschaltet, da kann leise nachgestimmt werden. Für Bläser ist das aber ungeeignet, sie müssen hier nach Gefühl stimmen. Bei 9° C haben wir noch das Problem, dass die Finger eiskalt werden. Da kann man nicht mehr spielen. Für diese Fälle haben wir einen Heizstrahler installiert bekommen.

Ganz selten und nur bei sehr, sehr schlechtem Wetter ziehen wir in die Stadthalle ‚Kasten' um. Dort sitzen wir direkt unter der Bühne, ohne Abstand zum Publikum und es ist sehr eng.

Auf der Bühne wird nach vorne ins Publikum gesungen und wir können den Gesang auf unserem Platz seitlich im Kreuzgang nicht gut hören. Deswegen bekommen wir alles auf Monitore übertragen. Während der Sprechszenen wird der Monitor ausgeschaltet, wenn er wieder angeht heißt das für uns: „Hab acht, in fünfzehn Sekunden geht es los". Im Theater sind wir im Orchestergraben und die SängerInnen singen auf mich zu, sehen mich und ich kann dirigieren. Hier sehe ich sie von der Seite und sie mich gar nicht, weil sie nach vorne zum Publikum gewandt singen. Daher muss ich alles mit ihnen so einstudieren, dass kein Dirigat notwendig ist. Da müssen wir mit Tricks arbeiten, zum Beispiel werden Fermaten genau ausgezählt, was für mich schwierig ist, weil ich eine ganz genaue Vorstellung von dem Stück brauche, die ich in Regensburg bei den Bandproben vermitteln muss und auch hier in Feuchtwangen bei den Proben. Vieles ändert sich dann eh wieder, weil die SängerInnen auch ihre eigenen Vorstellungen haben. Dann muss ich wieder mit den Musikern in Regensburg telefonieren, und erklären, wir machen es jetzt anders. Man muss immer diesen gemeinsamen Nenner suchen. Deswegen ist es hier auch besonders wichtig, dass die Musik in einer Hand liegt.

Einfach ist es bei den Kreuzgangspielen in Feuchtwangen nicht! Hier zu spielen ist eine große Herausforderung für alle! Das gesamte Ensemble und wir Musiker müssen bis zur letzten Aufführung flexibel bleiben und viele unvorhersehbare Probleme spontan meistern. Aber genau diese Besonderheiten machen mir sehr viel Spaß und ich nehme diese Herausforderungen gerne an.

Das Orchester – Arbeiten auf engstem Raum. Am Klavier Bernd Meyer

Emanuele Soavi   Foto: Joris Jan Bos

Emanuele Soavi
Choreograf

Für mich sind die Kreuzgangspiele in Feuchtwangen etwas ganz Besonderes und sehr interessant. Hier arbeite ich mit Schauspielerinnen und Schauspielern in verschiedenen Altersgruppen und nicht mit Tänzern. Nur einmal, beim „Sommernachtstraum" 2013, waren zwei Tänzer als Elfen engagiert. Beim Ballett ist alles abstrakt, der Tanz ist eine Unterstützung oder Interpretation der Musik. Hier unterstütze ich die SchauspielerInnen dabei, ihre Rolle, deren Charakter und die Sprache mit ihrem körperlichen Ausdruck intensiver zu erzählen. Daher bin ich nicht nur für die Tanzszenen verantwortlich, sondern für alle Bewegungen und ich bin bei allen Proben dabei. Ich setze dabei auch gerne Requisiten oder Bühnenteile als choreografische Elemente ein, zum Beispiel mache ich einen Tisch zur Bühne auf der Bühne.

Mit zehn Jahren hatte ich meine erste Ballettstunde. Mit sechzehn besuchte ich in Florenz die Akademie für Theater und Ballett. Mein erstes Engagement als Tänzer bekam ich in der Oper von Rom, das zweite in Venedig. Ich lernte bei diesen Engagements sehr viel Tänzerisches und auch meinen Körper sehr gut kennen, was die wichtigsten Voraussetzungen für meinen Beruf sind. Als Tänzer ist man immer mit seinem Körper beschäftigt. Es folgten viele weltweite Tourneen: der Broadway in New York, Paris, Moskau, Spanien, Shanghai, Singapur, Indonesien. Diese Jahre waren sehr anstrengend. Häufig unterwegs zu sein und zu tanzen erfordert viel Kraft und Energie. Damals begann ich in meiner Freizeit kleine Choreografien zu erarbeiten. Jetzt, mit dreiundvierzig, tanze ich nur noch selten auf der Bühne.

„Wikinger" war bei den Kreuzgangspielen meine erste Produktion. Es folgten „My Fair Lady", „Anatevka", „Sommernachtstraum", „Cabaret", „Der eingebildete Kranke" und im Jahr 2017 „Kiss me, Kate".

Wenn ich zu den Proben hier in Feuchtwangen ankomme, kenne ich die bearbeitete Fassung der Musik und die Besetzung. Bei meiner Arbeit ist mir vor allem die psychologische Seite der Rollen wichtig, wie würde sich dieser Mensch mit diesem Charakter bewegen und welche Bewegungen der SchauspielerInnen könnten das verstärken. Ich gehe jede Szene einzeln durch, nehme auch Requisiten dazu und mache mir Skizzen. Bei den Proben zeigt sich, ob mit einem Kostümteil oder einer Requisite auch wirklich die Bewegung unterstützt wird oder sich dieses gar als hinderlich herausstellt. Ich gebe nur ein paar Schritte vor, der Rest wird gemeinsam auf der Bühne erarbeitet, mit den SchauspielerInnen, dem Regisseur, der Regieassistentin, dem musikalischen Leiter und mir. Es gibt natürlich auch getrennte Proben. Ich arbeite die Bewegungsabläufe heraus, der musikalische Leiter die musikalische Gestaltung und der Regisseur das Schauspielerische. Jeder Mensch und jeder Körper ist unterschiedlich und ich achte darauf, wer kann welche Bewegungen gut, welche Schritte passen zu diesem/dieser SchauspielerIn und zu der jeweiligen Rolle. So entsteht durch viel Ausprobieren langsam die Choreografie während der Proben. Die SchauspielerInnen haben ganz unterschiedliche Schwerpunkte und es sind alle Altersgruppen vertreten. Daraus Bewegungen zu erstellen, vor allem bei Gruppenszenen, die für alle machbar und schön anzuschauen sind, ist für mich eine große Aufgabe.

Die Fähigkeiten der SchauspielerInnen müssen bei den Kreuzgangspielen sehr breit gefächert sein: Meist wird erwartet, dass sie spielen, tanzen und singen können. Dies alles zu koordinieren ist eine große Herausforderung für alle und nur mit einer guten Zusammenarbeit von allen Seiten möglich. In festen Theatern hat das Ballett seine Nummern, die SchauspielerInnen spielen ihren Part und dann kommen noch SängerInnen dazu, die die Gesangsrollen übernehmen. Bei Liedern kann ich die Bewegungen auf den Text abstimmen, entweder entlang der Linie des Liedes oder gegenläufig, abstrakt, realistisch, manchmal beziehe ich auch Bühnenelemente mit ein. Das ist sehr spannend. Bei dem Schauspiel „Der eingebildete Kranke" von Moliere konnte ich beim mythologischen Teil visionär sein und Surrealismus auf die Bühne bringen.

Ausnahmsweise choreografiere ich auch mal eine Kampfszene, aber eigentlich bin ich für Kampfszenen nicht zuständig, weil ich dafür keine Ausbildung habe.

Bei der Choreografie eines Stückes achten wir natürlich nicht nur auf die einzelnen Szenen, sondern wir wollen auch einen großen Bogen über das ganze Stück spannen, das heißt zum Beispiel Tanz und Musik möglichst gleichmäßig zu verteilen. Der Zuschauer soll den ganzen Abend als Einheit sehen.

Bei der Gestaltung der Produktionen denken wir nicht besonders an das Wetter. Aber wir erarbeiten immer auch eine langsamere ‚Regenversion'. Wenn die Bühne nass ist, kann man nicht so schnell laufen oder sich drehen. Und nasse Kostüme sind träger als trockene.

Hier in Feuchtwangen ist alles sehr konzentriert, denn innerhalb von acht Wochen müssen drei Produktionen erarbeitet werden. Normalerweise braucht man acht Wochen für eine Produktion. Diese Arbeitsdichte ist uns allen aber vor unserem Engagement bekannt. Meistens probe ich etwa von 10–14 Uhr und von 18–22 Uhr. Sonntags haben wir normalerweise frei. Natürlich kann sich aus den verschiedensten Gründen auch immer einmal etwas verschieben.

Die Atmosphäre bei den Feuchtwanger Festspielen ist fast familiär und wir arbeiten als sehr gutes Team zusammen, Musik, Regie und Choreografie. Oft beginnen die ersten Überlegungen über das Konzept ein Jahr vorher: Was brauchen wir, was können wir weglassen? So musste zum Beispiel „Kiss me Kate", das ja für den Broadway geschrieben wurde, an die hiesigen Bedingungen angepasst werden. Die Bühne im Kreuzgang ist nicht so tief wie eine Bühne in einem Theater und die Kreuzgangbögen müssen mit einbezogen werden. Bei den Abendstücken kann man nicht von Anfang an mit Licht spielen und fokussieren, denn im Sommer ist es um 20.30 Uhr noch hell.

Nach der Premiere in Feuchtwangen kehre ich wieder an meine Basis in Köln zurück. Dort produziere ich jedes Jahr ein Stück. Seit 2004 bin ich freischaffender Choreograf und arbeite an verschiedenen Produktionen in der freien Szene. Diese beiden Schienen sind Luxus und sie bieten mir breit gefächerte Möglichkeiten. Ich möchte noch nicht fest an einem Theater sein, sondern freue mich, wenn ich mit unterschiedlichen Leuten zusammenarbeiten kann und bin stets bereit Neues dazu zu lernen.

Wolfgang Beigel

Foto: C. Hinderer

Wolfgang Beigel
Schauspieler

Freilichttheater ist immer ein Abenteuer. Bei Regen auch für die ZuschauerInnen, die mit den Regenhauben dasitzen und sehen, wie die SchauspielerInnen nass werden. Ich blende das Nasswerden beim Spielen nicht aus, sondern nehme es, wie es ist. Wir haben natürlich hinter der Bühne eine flinke Mannschaft, die uns beim Abtrocknen hilft und die Bühne nach einem Starkregen säubert. Aber man muss aufpassen, vor allem bei Fechtkämpfen, dass man nicht ausgleitet.

2001 gab es einen starken Nieselregen während einer ganzen Aufführung von Carl Zuckmayers „Des Teufels General". In der Szene, in der Oderbruch mit den Konstruktionsplänen zu Harras (den spielte ich) geht, um zu besprechen, wie diese Flugzeuge konstruiert sind, nimmt er seine Pläne – richtige Pläne aus Papier – und breitet sie erst einmal auf dem Tisch aus. Bei diesem Nieselregen war das Papier bald kein Papier mehr, sondern sah aus, wie nass gewordenes Toilettenpapier. Wir sollten die Konstruktionspläne vom Tisch in die Hand nehmen und dem anderen unter die Nase halten, darauf zeigen und nach den Details fragen, die auf den Plänen gezeichnet sind. Das ging alles nicht mehr. Wir mussten sie auf dem Tisch liegenlassen und konnten nur noch mit dem Finger auf die entsprechende Stelle zeigen. Da mussten wir ausnahmsweise improvisieren. Ansonsten schätze ich es sehr, dass hier mit einem professionellen Ensemble gearbeitet wird.

Auch „Bühnenunfälle" mit Tieren kann man im Freilichttheater erleben. Im Jahre 2000 spielten wir den „Kaufmann von Venedig" von Shakespeare, mit mir als Kaufmann Antonio. In der Mitte der Bühne war eine kleine Brücke aufgebaut und auf dieser sollte die große Auseinandersetzung zwischen dem Juden Shylock und dem Kaufmann von Venedig stattfinden. Shylock stand auf dem Scheitelpunkt der Brücke und ich ging ihm entgegen, schon mit einer gehörigen Wut im Bauch, um ihn zur Rede zu stellen. Der Disput kam in Gang, wir diskutierten zunehmend aufgebrachter miteinander, und dann ließ ein wohl größerer Vogel seine feuchte Hinterlassenschaft auf das Judenkäppi des Shylock fallen. Damit war der Dialog zwischen uns beiden gefährdet. Aber wir rissen uns zusammen. Der Kot des Vogels verfing sich in den Haaren und rann dem alten Herrn über die Wange. Und als er dann endlich abgehen konnte, eilten alle herbei, wuschen ihn und brachten bis zu seinem nächsten Auftritt alles wieder in Ordnung. Das Publikum in den vorderen Reihen hat das natürlich mitbekommen und verhalten gelacht.

Die Pausen während der Aufführung kann sich jede/r, je nach Lage der Rolle und der eigenen Konzentrationsfähigkeit, selber gestalten. Entweder man bleibt hinten im Kreuzgang sitzen und hört mit. Das ist der sicherste Weg, um konzentriert zu bleiben. Wenn ich eine längere Pause habe, gehe ich schon mal auf den Kirchplatz und rauche eine Pfeife. Ich weiß ja, wie lang diese dauert. Das ist schon ein eingeübtes Ritual.

Wir machen hier auch relativ lange Kostümproben. Man kann individuell noch Kleinigkeiten regeln. Wenn der Schuh nicht passt, kann man ihn nicht anziehen. Ebenso muss die Kleidung möglichst genau dem Körper angepasst werden. Auch wenn man zum Beispiel für einen anderen Schauspieler einspringt und vorher ein dickerer oder dünnerer Kollege die Rolle gespielt hat. Das Kostüm muss dann blitzartig von der Schneiderin umgeändert werden.

Bei Schnupfen oder wenn die Verkühlung noch nicht auf die Stimmbänder oder den Rachen geschlagen hat, kann man ohne Weiteres spielen und sogar singen. Man hört sich nur anders an, weil die Resonanzräume der Atemwege etwas verstopft sind. Gefährlich wird es, wenn man Halsweh bekommt und beginnt, heiser zu werden. Das passiert zum Glück selten. Ich selber bin seit Jahren nicht mehr erkältet gewesen, auch nicht stimmlich indisponiert. Das schreibe ich meinen starken Stimmbändern und meiner guten Technik zu. Wenn es sehr kalt ist, kann man auch auf der Bühne, passend zum Kostüm, noch einen Schal oder ein Jäckchen umnehmen. Oder man sagt sich, die Szene ist nur kurz und nachher wartet eine warme Decke auf mich. Wenn wir bei 30° C ein voluminöses, warmes Bühnenkostüm tragen müssen, dann ziehen dies alle erst in der letzten Sekunde an. Theaterspielen ist immer eine Herausforderung. Das sollte jede/r junge SchauspielerIn beherzigen! Diesen Beruf kann man nicht ‚mit Links' machen!

Mit den Engagements in Feuchtwangen verbinden sich bei mir auch Erinnerungen an meine Kinder, die unter anderem auch hier groß geworden sind. Sie waren oft dabei, denn wir wohnten zeitweise in Hamburg. Da konnte ich während der Festspiele nicht heimfahren, weil die Distanz zu groß war. Jedes Jahr mussten meine Frau und ich von Neuem die Kinderbetreuung organisieren. Das war immer spannend, langweilig war dies nie.

Als meine Tochter elf und mein Sohn neun Jahre alt waren, hatte ich hier in Feuchtwangen ein Engagement in beiden Abendstücken. Meine Frau hatte zwei Buchhandlungen, eine in Hamburg, eine in Böblingen, und die Oma hatte auch keine Zeit. Meine Frau meinte, ich könnte die Kinder nehmen, „die sind ja eh schon vernünftig". So wie Kinder mit elf und neun vernünftig sind. Ich wohnte damals bei Familie H., in einem wunderschönen Häuschen mit Gemüsegarten, Hasen, Hühnern usw. Das war eine richtige ‚Oma und Opa-Familie'. Bei einer Unterhaltung erwähnte ich, dass „ich im Augenblick so belastet bin und gar nicht weiß, wo ich hin soll mit den Kindern. Ich geh' abends um sechs in den Kreuzgang und komm' um Mitternacht wieder nach Hause. Da sagte Herr H.: „Da machen Sie sich mal keine Sorgen, das ist überhaupt kein Problem. Wir spielen „Mensch ärgere dich nicht", essen Eis und schauen fernsehen". Und somit waren sie Ersatzoma und -opa unsere beiden Kinder. „Mensch ärgere Dich nicht" haben sie sehr gerne gespielt, vor allem mit Frau H. Sie sagte immer, wenn sie raus geschmissen worden ist oder verloren hat: „Oweioweiowei, bin i' heut' schlecht". Deswegen war sie für meine Kinder über Jahre die „Frau oweiowei".

Meine mittlerweile 51-jährige Theaterlaufbahn war sehr bewegt. Ich bin Österreicher und habe in meiner Jugend dort gespielt. Dann verbrachte ich fast zehn Jahre in der Schweiz und lernte dort meine Frau kennen. Sie war Deutsche, ich Österreicher. Das war in den 70er Jahren in der Schweiz keine gern gesehene Verbindung. Ich war schon 39 Jahre alt und wir beschlossen, unseren Wohnsitz nach Deutschland zu verlegen, wo ich auch seither wohne, zeitweise in Baden-Württemberg und insgesamt dreizehn Jahre in Hamburg. Aber wir sind in diesen Jahren immer wieder von Norden nach Süden und wieder zurückgezogen.

Nach 14 Jahren Zugehörigkeit zu einem Theater ist man unkündbar. Das hätte ich am Stadttheater in Heilbronn wahrscheinlich erreichen können, aber das wollte ich nicht. Also habe ich mit meiner Frau beschlossen, weiterhin frei vermittelbar zu sein. Mit 47 Jahren ging ich nach Hamburg. Dort nahm ich eine Rolle im Musical „Das Phantom der Oper" an. Unsere Kinder kamen in Hamburg in den Kindergarten. Bei uns zu Hause ergab sich so bald ein ziemlich bunter Mix: Ein Vater aus Wien, eine schwäbische Mutter und Kinder, die plötzlich „hamburgisch" redeten. Mittlerweile hat sich wieder alles geändert: Meine Tochter wohnt in Wien, mein Sohn lebt in Heilbronn und meine Frau ist gestorben. Also es ist alles, wie immer, in Bewegung.

Für mich ist es ein Lichtblick, dass ich sagen kann, ich mache heute im Alter von über siebzig Jahren dasselbe, was ich mir mit siebzehn gewünscht habe. Ich wusste von Anfang an, dass die Schauspielerei das Richtige für mich ist.

Feuchtwangen ist jetzt seit 1998, mit einer 10-jährigen Unterbrechung von 2001 bis 2011, fast so etwas wie ein Stammtheater für mich geworden, in dem ich vier Monate im Jahr arbeite. Andere Engagements brauche ich nicht mehr, ich bin 1944 geboren und im ‚Unruhestand'.

Zum Abschluss noch ein Wort von Gustav Gründgens, das ich sehr unterstreichen möchte: Er sagte einmal: „Es mag politisch sehr schwierig sein für uns Intendanten und für alle Schauspieler. Aber wenn ich eine Aufführung habe und ich mache die Tür zur Bühne auf, dann kann ich sicher sein, dass mein Bühnenpartner dahinter steht, und nicht Herr Goebbels." Die Bühne als sicherer Ort in politisch fürchterlichen Zeiten. Diese Worte bekommen für mich zunehmend mehr Bedeutung. Terroranschläge rücken immer mehr in die Nähe (2016 in Ansbach) und seitdem werden auch hier in Feuchtwangen zur Sicherheit Eingangskontrollen durchgeführt.

Clara Cüppers   Foto: Nicole Brühl

Clara Cüppers
Schauspielerin

Das spannende am Freilichttheater ist, dass es auf der Bühne durch die direkte Sonneneinstrahlung tagsüber sehr heiß sein kann oder man im Regen spielen muss. Mir gefällt es, im Regen zu spielen und zu merken, das Publikum will – unter den vorher verteilten Regenponchos – die Vorstellung sehen und wir alle wollen auch zu Ende spielen. Das ist ein unvergessliches Erlebnis, das sich die ZuschauerInnen bestimmt noch Jahre später erzählen werden: „Weißt du noch, die Regenvorstellung damals in Feuchtwangen ... aber es war toll, wir sind sitzen geblieben und die SchauspielerInnen haben zu Ende gespielt". 2016 haben wir „Arsen und Spitzenhäubchen" ganz oft im Regen gespielt, da mussten wir hart im Nehmen sein.

Gegen Erkältungen schützt man sich so gut es geht. Fußballer spielen ja auch oft im Regen, da denkt man ebenso, die werden kalt. Aber durch die Bewegung ist der Körper in Wallung. Aufpassen müssen wir, wenn wir von der Bühne abgegangen sind. Dann heißt es, rasch einen warmen Mantel überziehen. Und nach der Vorstellung schnell raus aus den Kostümen, sich abtrocknen, eine heiße Dusche nehmen, heißen Tee trinken. Da hat jeder seine eigenen Methoden.

Die Bühne kann bei Regen sehr glatt sein, meine Stöckelschuhe haben daher eine Gummisohle, sind also fast rutsch- und wetterfest.

Unsere Haare und die Schminke müssen bei Regen stark fixiert werden – eine gute Maske eben. Das heißt auch, dass man nach der Vorstellung sorgfältig duschen und Haare waschen muss.

Ich vergleiche Theaterspielen gerne mit dem Sport, weil Theaterspielen auch eine Hochleistung ist. Der Körper ist auf diese Hochleistung gepolt. Der Puls ist hoch, wir stehen während des ganzen Stückes unter Strom. Wir sind die ganze Zeit, auch in den Spielpausen, präsent und auf Bereitschaftsstellung. Auf der Bühne ist man sowieso voll da, reagiert und gibt alles.

Die Ensemblemitglieder des Kinderstückes kommen alle Mitte April, die KollegInnen für die Abendstücke Anfang Mai nach Feuchtwangen. Als erstes gibt es für jedes Stück eine Konzeptionsprobe, bei der alle zusammen an einem Tisch sitzen. Dabei erfahren wir SchauspielerInnen, was der/die RegisseurIn über das Stück denkt, wir sehen, was sich der Kostümbildner ausgedacht hat und wie das Bühnenbild aussieht. Das Stück wird gemeinsam gelesen und dann geht es schon los mit dem Proben. Wir gehen möglichst früh auf die Bühne im Kreuzgang, alternativ, bei sehr schlechtem Wetter, proben wir in der Stadthalle ‚Kasten' oder der ‚Schranne'. Es laufen drei Proben über den Tag verteilt, allerdings nicht für jeden von uns, weil wir meistens nur in zwei Stücken mitspielen. Nach der Premiere des Kinderstückes im Mai gibt es nur noch zwei Proben pro Tag.

Wer im Kinderstück mitspielt, hat oft zwei Vorstellungen am Tag, dafür aber am nächsten Abend frei. Es wird schon darauf geachtet, dass jede/r ausreichend Zeit zum Erholen hat. Wir haben ohnehin genügend zu tun, denn es gibt ja auch die Sondervorstellungen im Museum, der Spielbank und einmal eine musikalische Mitternachtsshow nach der regulären Abendvorstellung. Von „Arsen und Spitzenhäubchen" wurde wegen der großen Nachfrage eine Zusatzvorstellung angeboten, die in vier Tagen ausverkauft war, was das gesamte Ensemble sehr gefreut und angespornt hat.

Ich bin den ganzen Tag darauf gepolt, mich für den Abend fit und gesund zu halten, meine Stimme gezielt zu schonen und vor der Aufführung aufzuwärmen. Insgesamt gehe ich tagsüber so pfleglich mit meinem Körper um, dass ich am Abend das leisten kann, was ich gerne möchte und was von mir erwartet wird. Nach außen hin sieht es vielleicht so aus, als hätte ein/e SchauspielerIn viel Freizeit, aber ich lebe am Tag für den Abend.

Mehrere kleine Rollen in einem Stück zu spielen ist eine andere Herausforderung, als nur eine große Rolle. Bei mehreren Rollen in einem Stück muss man mehrere Geschichten finden und kleinere Bögen spielen. Dafür spiele ich in einer großen Rolle einen großen Bogen. Es ist weder das eine noch das andere schwieriger, beides hat seinen Reiz und seine speziellen Anforderungen. Ich habe in beiden Fällen eine Verantwortung für das Stück und den Zusammenhang dieser Geschichte.

Wie man solch unterschiedliche Aufgaben souverän bewältigen

kann, wird auf der Schauspielschule gelehrt. Man lernt die verschiedenen Spieltechniken und Mechanismen, vor allem aber seinen Körper richtig gut kennen. Jeder Mensch ist anders und hat eine andere Herangehensweise an die Figuren, an Rollen. Deswegen ist dieser Beruf auch ein Handwerk, das gelernt werden muss. Selten gibt es Talente, die alles in die Wiege gelegt bekommen.

Weil die Probenzeit hier in Feuchtwangen sehr konzentriert und arbeitsintensiv ist, habe ich den Text schon gelernt, wenn ich hier ankomme. Ich lerne den Text um „ihn dann wieder zu vergessen". Das ist sinnvoll, denn das Gesprochene auf der Bühne soll sich für das Publikum ja so anhören, wie ein alltägliches Gespräch. Wenn ich jetzt spreche, passiert das auch nicht, weil ich vorher einen Text gelernt habe, sondern es passiert einfach und so soll sich das auf der Bühne auch anhören. Je besser man sich den Text verinnerlicht hat, umso einfacher ist es, auf der Bühne zu agieren.

Mit den Theatertexten verbindet man als SchauspielerIn ja auch ganz viel: Ich habe Emotionen, ich habe Szenen, ich habe die Situation mit meinem/r SpielpartnerIn. Das heißt, ich kann diesen Text mit ganz vielen Elementen verknüpfen, so dass ich ihn auch einfacher lernen kann und er sich anders bei mir ‚einbrennt'. Ein ‚alter', vor Jahrhunderten geschriebener Text, ist nicht unbedingt schwieriger zu lernen als ein ‚moderner'. Der Text muss einem liegen, dann geht es schnell. Diese Situation ist ganz anders, als für die Schule ein Gedicht auswendig zu lernen, das ist mir auch schwer gefallen.

2016 spielte ich nur in einem Stück mit, dafür habe ich viele Aufgaben hinter der Bühne übernommen: Die Inszenierungen des Theaterstadtspaziergangs, der Museumsnacht, des Liederabends und die theaterpädagogischen Workshops, die seit letztem Jahr kostenlos für Kinder angeboten werden. Diese Workshops werden zunehmend gut angenommen, 2015 waren es sechs, nun sind es schon einundzwanzig. Nach dem Theaterbesuch können sich die Kinder im Workshop die Probenrequisiten anschauen. Das sind andere Requisiten als die, die bei der Aufführung verwendet werden. Manch eine muss erst speziell angefertigt werden, das braucht Zeit. Es ist aber wichtig, den Umgang mit diesen Gegenständen auch zu proben, z.B. einer Kette, einer Schnur, einem Schwert, einem Umhang, einer Brille (mit Brille ist das Sichtfeld anders). Es gibt auch Probenkostüme. Wenn ich eine Frau spiele, die einen kurzen, engen Rock anhat, dann versuche ich natürlich zügig so einen zu bekommen, um zu sehen, wie laufe ich damit, wie verhalte ich mich damit.

Bei den Workshops lernen die Kinder vieles kennen, was man beim Theater so alles benötigt und sie dürfen mit den Requisiten auch Szenen aus dem Kinderstück nachspielen und selber ihrer Fantasie freien Lauf lassen. Das macht sehr viel Spaß. Kinder sind sehr neugierig, freuen sich und erzählen mit leuchtenden Augen, wenn ihnen etwas gefallen hat.

Schulen können auch einen „Blick hinter die Kulissen" buchen. Nach der Vorstellung dürfen diese Klassen auf der Kreuzgangtribüne sitzen bleiben. Zwei SchauspielerInnen kommen auf die Bühne und die Kinder dürfen Fragen stellen, das Bühnenbild genau betrachten und es werden ein paar Tricks erklärt …

Bei jeder Theatervorstellung spüren wir SchauspielerInnen das Publikum. Wir spüren die Energie im Raum und in welcher Stimmung die ZuschauerInnen sind. Die finden sich ja jeden Abend neu zusammen. Und so ist das Publikum Teil der Vorstellung. Es ist keine Wand zwischen Bühne und Publikum, es ist keine trennbare Geschichte, sondern beides gehört zusammen. Das ist das Spannende am Theater, dass es jeden Abend anders ist, so ist auch die Aufführung immer wieder anders, wie ein neu gemaltes Bild. Deswegen wird es nie langweilig, immer wieder das gleiche Stück zu spielen. Auch unsere Stimmung ist jeden Tag anders. Das ist ganz normal. Wir sind ja keine Maschinen.

In diesem Jahr bin ich das fünfte Mal in Feuchtwangen und ich spiele gerne hier. Die Bühne ist sehr, sehr schön, sie hat etwas Magisches. Im Hintergrund steht die Stiftskirche und man hat, trotz Freilichttheater, einen quasi abgeschlossenen Raum durch das Geviert des Kreuzganges. Es gibt auch viele Vorstellungen, in denen etwas passiert, was man nicht planen und inszenieren kann. So kommt es vor, dass ein Storch klappert, während es auf der Bühne um ein Baby geht oder die Krähen krächzen schaurig schön in einer dramatischen Szene. Mein erstes Stück, bei dem ich hier mitspielte, war 2012 „Der Name der Rose", das hinterließ bei mir bis heute einen großen Eindruck, weil die Kulisse hier perfekt war, vor allem der Kreuzgang mit der Kirche im Hintergrund. Hier ist Geschichte passiert. Diese Atmosphäre schafft kein künstliches Bühnenbild.

Allerdings hat das uralte, unregelmäßige Kopfsteinpflaster hinter der Bühne im Kreuzgang seine Tücken. Eine Kollegin verlor beim Abgang von der Bühne einen Schuh, weil sich der spitze Absatz in einem Spalt verhakte ...

Dies alles bedeutet für mich Feuchtwangen. Und mir gefällt auch, dass man so manche KollegInnen und viele Einheimische aus vorherigen Spielzeiten hier wieder trifft. Das Wiederkommen fühlt sich für mich jedes Mal ein bisschen wie Heimkommen an. Die Stadt Feuchtwangen ist ja nicht groß. In jeder Saison bin ich dreieinhalb Monate hier, und das nun schon zum fünften Mal, da kommen viele Bekanntschaften und viel verbrachte Lebenszeit zusammen.

Wir SchauspielerInnen sind auf dem Weg vom Organistenhaus (dort befindet sich die Garderobe und die Maske) über den Kirchplatz bis zur Bühne immer in der Öffentlichkeit. Das gehört hier dazu und ist auch nett. Auch ansonsten bleibt im positiven Sinne ein enger Kontakt mit der Bevölkerung nicht aus. Man lebt hier, man geht einkaufen und in die Gaststätten. Die Einheimischen sind offen und freuen sich, dass die SchauspielerInnen hier sind. Der Sommer ist da. Die Kreuzgangspiele laufen. Es kommen Gäste, es ist ein beiderseitiges Geben und Nehmen.

Etwas ganz Besonderes verbindet mich zudem mit Feuchtwangen. Ich habe hier bei den Kreuzgangspielen vor drei Jahren meinen Mann, den Schauspieler Leenert Schrader, kennengelernt. Im Jahr 2015 haben wir geheiratet und bisher jeden Sommer gemeinsam hier verbracht. Wir werden dieses Jahr im Anschluss an die Kreuzgangspiele gemeinsam in München proben und auf Tour gehen und im neuen Jahr noch mal in München spielen und auf Tour gehen. Wir haben Glück, dass wir zusammen arbeiten können und hoffen, noch viele gemeinsame Sommer in Feuchtwangen zu verbringen.

Lennart Matthiesen   Foto: Privat

Lennart Matthiesen
Schauspieler

Das ist jetzt mittlerweile Hose Nummer vier. In der letzten Szene bei „Peter Pan" werde ich (als Kapitän Hock) vom Krokodil gefressen und springe sehr stark gekrümmt in dessen Maul. Nachdem alle passenden Hosen aus dem Fundus rissen, wurde mir eine vierte Hose auf den Leib geschneidert, damit so ein Malheur möglichst nicht mehr passiert. Nur, jetzt war auch diese Hose wieder gerissen, aber sie konnte schnell wieder geflickt werden. Mein Beileid galt der Schneiderei. Ich war froh, dass die Risse hinten und vom Mantel verdeckt waren, sodass die ZuschauerInnen nichts mitbekommen haben.

Das erste Mal war ich hier in Feuchtwangen vor zwei Jahren für das Jugendstück im ‚Nixelgarten' und bin nun 2016 das erste Mal auf der großen Bühne. Ich kenne den Intendanten Johannes Kaetzler, sowie Hartmut Uhlemann, von der Schauspielschule in Hamburg.

Das Besondere am Freilichttheater ist die Atmosphäre und unter freiem Himmel zu spielen. Während der langsamen Dämmerung und der beginnenden Nacht auf der Bühne zu stehen, ist einfach magisch. Natürlich am liebsten bei gutem Wetter. Bei Regen ist es ein bisschen anstrengender. Der Regen prasselt auf den Bühnenboden und die Regenponchos – in denen die ZuschauerInnen eingehüllt sind – machen auch einiges an Geräuschen. Man muss lauter sprechen, deswegen ist es immer wichtig, dass man stimmliche Reserven hat, damit die letzte Reihe auch noch etwas versteht. Besonders am Anfang der Spielzeit 2016 gab es viel Regen, die Premiere von „Arsen und Spitzenhäubchen" fiel komplett ins Wasser. Wir waren schon am Überlegen, ob wir die Vorstellung in den ‚Kasten' (Stadthalle und Ausweichspielort) verlegen. Das machen wir aber nur im Extremfall, bei Starkregen, Gewitter und Hagel. Denn wenn die Vorstellung ausverkauft ist, gibt es dort nicht genügend Plätze für alle 511 ZuschauerInnen. Es müssen dann leider Besucher nach Hause geschickt werden. Und die Bühne hat auch nur eine kleinere Fläche. Da es sowieso eine sehr kurzfristige Entscheidung ist, wandern auch nur ein paar Bühnenteile mit hinüber. Natürlich haben wir auch eine Probe für die ‚Kasten-Version' der Stücke. Improvisieren ist aber immer Bestandteil bei einer solchen Vorstellung. Das macht es natürlich auch zu einem speziellen Event für uns SchauspielerInnen und auch für das Publikum.

Bei Nässe muss man sich auf der Kreuzgangbühne äußerst vorsichtig bewegen. Da kann es schon sehr glatt und rutschig sein. Bei solchen Vorstellungen laufen wir alle viel langsamer, bewusster, damit nichts passiert. An sonnigen und heißen Sommertagen wiederum kann es unter den teilweise vielen Kostümschichten ganz schön heiß werden.

Wichtig für einen Freilicht-Schauspieler ist ein gutes Immunsystem. Krankheiten können aufgrund unterschiedlicher Temperaturen natürlich trotzdem kommen. Wir spielen, wenn irgend möglich, auch krank weiter. Zweitbesetzungen gibt es hier keine. Wir alle sind durch die vielen Proben bei Wind und Wetter auf der Bühne aber sehr abgehärtet. Im April haben wir bei -2 °C und Schnee auf der Bühne geprobt.

Bei „Arsen und Spitzenhäubchen" hatten wir den seltenen Fall, dass ein Schauspieler krankheitsbedingt ausfiel und umbesetzt werden musste. Der Kollege Uli Westermann übernahm kurzfristig die Rolle. Er hatte eineinhalb Tage Zeit den Text zu lernen. Es gab nur noch ein paar Stellproben und er hat das gespielt, als wäre er von Anfang an dabei. Das war schon toll.

Die Probenzeit beginnt immer mit einer Leseprobe, dabei lernt sich auch das Ensemble kennen. Das geht sehr schnell, weil wir SchauspielerInnen daran gewöhnt sind, immer wieder mit neuen Leuten zusammenzuarbeiten. Ich finde es schön, wenn wir schon frühzeitig auf der Kreuzgangbühne proben können, denn dort herrschen Originalbedingungen. Der Bauhof stellt uns immer die benötigten, anfangs oft provisorischen Bühnenteile, zur Probe bereit. Nach und nach kommen dann die Endgültigen dazu.

Da hier auch fast alle SchauspielerInnen in zwei Stücken spielen, wird oft das eine Stück vormittags, das andere nachmittags bis spät abends geprobt. Wenn ich vormittags schon das Märchen spiele und nachmittags/abends eine Probe für das Abendstück stattfindet, muss ich mir meine Kraft gut einteilen. Zwei Stunden auf der Bühne zu sein, heißt zwei Stunden konzentriert arbeiten und 100% Leistung erbringen.

Verschiedene Rollen bedeuten auch verschiedene Herausforderungen. Die Rolle des Mr. Präsident in „Arsen und Spitzenhäubchen" ist zum Beispiel emotional nicht anstrengend. Allerdings ist, wie bei jeder Komödie, ein perfektes Timing gefragt, ein perfektes Zusammenspiel ist unabdingbar. Man ist aufeinander angewiesen und muss die Pointen gut ausarbeiten. Theater ist ein ‚Teamsport'. Das erfordert eine sehr hohe Konzentration und ist auch körperlich sehr anstrengend. Obwohl ich mich auf der Bühne gar nicht so viel bewege, bin ich komplett nass geschwitzt. Das geht anderen auch so. Und deswegen ist es auch so wichtig, dass man die Krafteinteilung beherrscht und sich dann lieber mittags ein Stündchen hinlegt, damit man für den Abend fit ist. Jede Aufführung muss sitzen, das ist unsere Aufgabe als Schauspieler. Nach einer Abendvorstellung kann ich auch frühestens gegen halb zwei Uhr einschlafen, denn der hohe Adrenalinspiegel bewirkt absolute Wachheit. Und um 7.30 Uhr klingelt der Wecker fürs Kinderstück.

Die Proben für die Sonderveranstaltungen, wie Museumsnacht, Spielbank, Mitternachtsshow … laufen hier nebenher ab. Diese Events finde ich sehr schön. Besonders die Mitternachtsshow ist für mich immer ein toller Abend. Da singt jede/r was er/sie am liebsten singen möchte. Ein Spaß für uns Akteure und für das Publikum gleichermaßen. Das Schöne an der Schauspielerei ist, dass man immer und sofort belohnt wird, nach jeder Aufführung, und oft auch währenddessen, bekommen wir Applaus. Es gibt selten Berufe, in denen man so viel Anerkennung bekommt für das was man tut. Das spornt unfassbar an.

Im Laufe der Spielzeit schleicht sich natürlich etwas Gewohnheit ein, aber hier verstehen sich alle Ensemblemitglieder sehr gut und wir motivieren uns gegenseitig immer wieder aufs Neue. Dadurch kann das Stück auch für uns frisch bleiben. Und so macht das Spielen unfassbar viel Spaß. Jedes Publikum soll einen schönen Theaterabend haben.

Schön für mich als Schauspieler ist es, immer in unterschiedlichste Rollen schlüpfen zu dürfen. Die beiden völlig verrückten Rollen, die ich hier spielen darf, hätte ich mir auch selbst ausgesucht. Kapitän Hook ist natürlich ganz anders als Teddy Brewster, aber beide sind herrliche Extremcharaktere.

Bei „Arsen und Spitzenhäubchen" lacht das Publikum oft und es gibt viel Zwischenapplaus, beides eine tolle Bestätigung für uns. Das Publikum ist jeden Tag anders und spielt auch immer etwas mit, ohne es zu ahnen. Kinder sind ganz ehrlich und zeigen einem unmittelbar, wenn ihnen etwas gefällt. Man bekommt sofort das Feedback, immer ein positives. Ob man für Kinder oder Erwachsene spielt ist ein großer Unterschied, und es ist ein ganz anderes Spielen.

Mit den Bewohnern in Feuchtwangen halte ich gerne einen Small Talk. Nur erkennen mich die wenigsten, weil ich auf der Bühne ganz anders aussehe als in ‚Natura'. Mit vielen Ensemblemitgliedern unternehme ich auch etwas an freien Tagen und wir sitzen meist nach den Vorstellungen noch zusammen. Wenn das nicht wäre, könnte man hier schon einsam werden. Wir sitzen ja alle im gleichen Boot, Freunde und Familie sind weit weg. So aber vergehen die vier Monate hier sehr schnell. Ich habe nur Respekt davor, wieder in die Großstadt zurückzugehen. Vor Kurzem war ich in Nürnberg und dachte: Hier sind aber viele Menschen. Ich habe mich wohl schon an die geringe Bevölkerungsdichte und das entschleunigte Leben in Feuchtwangen gewöhnt. Aber ich sehne mich jetzt auch wieder nach meiner Heimat Hamburg und der Nord- und Ostsee, die ich von dort aus in knapp einer Stunde erreichen kann.

Alexander Schellworth   Foto: Privat

Alexander Schellworth

Schauspieler

Dieser Sommer 2016 mit meinem Engagement bei den Kreuzgangspielen in Feuchtwangen ist sowieso schon der Sommer meines Lebens und das „I-Tüpfelchen" war, eine Rolle im Stück der integrativen Theatergruppe „Rampenlicht" zu übernehmen. Als ich gefragt wurde, ob ich für den eigentlich dafür vorgesehenen Kollegen einspringen würde, war das für mich keine Frage, na klar, warum nicht? Ich freute mich, so eine Gelegenheit zu bekommen.

In Lübeck spielte ich schon Kindertheater und es schauten sich auch Behindertengruppen unsere Stücke an und manchmal trafen sie sich danach mit uns. Dadurch hatte ich bereits schon einige Kontakte mit Menschen mit Handicaps.

Für unsere gemeinsame Aufführung von „Pumuckl" hatten wir hier im Kreuzgang nur einen gemeinsamen Probentag und ich war davor sehr nervös. Denn die Truppe hatte das Stück fertig und schon mehrmals aufgeführt und ich war der Fremdkörper, der da eingearbeitet werden musste.

Mit deren Leiter, Martin Piereth, der auch den Meister Eder spielte, hatte ich mich vorher einmal getroffen und er hat mir alles über die Gruppe erzählt; auch wie sie arbeiten. Die „Chemie" hat gleich zwischen uns gestimmt.

Zu dieser einzigen Probe wurde ich von allen mit offenen Armen empfangen. Die Gruppe bestand aus Betreuern und Menschen mit Downsyndrom und anderen Handicaps. Diese haben mich gleich in den Arm genommen, obwohl sie mich gar nicht kannten. Da verschlug es mir erst einmal die Sprache: „Wow, wie herzlich sind die denn!!" Ich war von Anfang an mittendrin, diese Harmonie hat mich sehr berührt. Die meisten Menschen sind unsicher, wie gehe ich mit Behinderten um und wie soll ich mich verhalten? Ich habe gemerkt, ganz normal auf sie zugehen und alles ist gut.

Wir haben uns insgesamt nur dreimal getroffen. Montag Probe, Mittwoch und Freitag je eine Vorstellung – und alle beide waren ausverkauft! Jeder Akteur, jede Akteurin durfte einmal aufleuchten und zeigen, was er/sie kann. Xaver, der Assistent von Meister Eder, war nur eine kleine Rolle. Der Darsteller und dessen fantastische Mimik wurden aber vom Publikum gefeiert. Er war der heimliche Star des Stückes. Als seine Mutter im Publikum saß, war er sehr aufgeregt und schüchtern und traute sich am Anfang nicht, auf die Bühne zu kommen. Meister Eder improvisierte und spielte die erste Szene ohne seinen Assistenten. Aber ab seinem zweiten Auftritt gab er sein Bestes.

Meine Szenen waren meist mit Meister Eder, und deswegen lief alles nach Plan. Die Gruppe arbeitete sehr professionell und gewissenhaft. Und das Publikum lachte nicht über die Darsteller, sondern mit ihnen, weil jeder seine ganz persönlichen Eigenschaften hat.

Der Abschied von dieser Gruppe fiel mir sehr schwer, alle fragten: „Kommst du nächstes Jahr wieder? Willst Du nicht immer bei uns bleiben?" Jede/r einzelne ist mir in der kurzen Zeit ans Herz gewachsen. Ich hätte nicht gedacht, dass ich so eine besondere und neue Erfahrung hier bei den Kreuzgangspielen mache.

Ich bin das erste Mal hier in Feuchtwangen und überhaupt so weit im Süden Deutschlands. Geboren wurde ich in Hameln und seit meiner Ausbildung wohne ich in Hamburg. Durch die Vermittlung meiner Schulleiterin bekam ich dieses Engagement.

Feuchtwangen ist ein krasser Unterschied zu Hamburg. Dort wohne ich an einer Hauptstraße, hier fährt ab und an mal ein Auto über den Marktplatz … Es ist so entschleunigt, einfach schön. Die ganze Stadt ist so malerisch und um meine Wohnung herrscht eine herrliche Ruhe und Stille. Es ist genau das, was ich nach einer Vorstellung brauche, eine ruhige Bleibe.

Das Theaterteam ist super, ich bin von so vielen unglaublich lieben Menschen umgeben, die jeden neuen Arbeitstag für mich zur Freude machen. Ich habe noch nie so eine tolle Atmosphäre erlebt. Das ist aber auch erst mein drittes Engagement und das größte meiner bisherigen Laufbahn.

In „Arsen und Spitzenhäubchen" spiele ich den Polizisten Klein. Es ist eine kleine, aber coole Rolle mit schönen Pointen, die ich sehr genieße. Ich freue mich jedes Mal auf die Reaktionen des Publikums. Außerdem spiele ich noch eine der Leichen, mit denen ich den Leichentanz tanze. Vor diesem Tanz liege ich in einer Truhe. Wenn es regnet, sammelt sich auf deren Boden das Wasser und ich sitze in einer Wasserlache ... Bei „Peter Pan" spiele ich den „Michael" und einen Indianer. Ich muss singen, ich muss tanzen, ich habe Kostümwechsel, ich bin von Anfang bis Ende in verschiedenen Rollen und verschiedenen Momenten kurz auf der Bühne. Diese Produktion ist für mich ein wunderschönes Gesamterlebnis.

Sehr gewöhnungsbedürftig und neu war für mich der enge Kontakt von der Bühne im Kreuzgang zur ersten Zuschauerreihe. Diese fängt ja fast bei den Knien der ZuschauerInnen in der ersten Reihe an. Sie sehen jede Falte, jede kleinste Mimik von den SchauspielerInnen. Deswegen haben die vorderen Reihen im Kreuzgang einen Reiz für sich. In „Peter Pan", wenn ich als Michael auf die Bühne herausstürme und rufe: „Nein, nein, ich will jetzt noch nicht ins Bett", da erschrecken sich die Kinder, und weichen erst einmal zurück. So dicht am Publikum war ich bisher noch nie, es macht aber großen Spaß zu sehen, wie die Kinder, und auch die Erwachsenen, reagieren. Gewöhnungsbedürftig, aber super.

Feuchtwangen ist sowieso das Komplettpaket ... Die Bühne ist schön, die Stadt ist malerisch, die Menschen und KollegInnen sind großartig, die Stücke machen sehr viel Spaß und sind ganz toll inszeniert.

Regen behindert mich schon etwas, weil ich den Kopf nicht ganz frei habe und sehr auf meine Füße achten muss. Einmal rutschte ich deswegen auf der Bühne aus und lag auf dem Boden. Zum Glück habe ich es rechtzeitig zu meinem nächsten Einsatz wieder auf die Beine geschafft. Bei Regen sollten wir uns langsam und vorsichtig bewegen! Bei 33 °C ist es aber in einem Hundekostüm auch nicht schön ...; aber das ist halt Freilichttheater!

Auch die steinernen Kreuzgangbögen sind niedrig und man muss sich, um durchzugehen, ein bisschen ducken. Als Leiche (in „Arsen und Spitzenhäubchen") hatte ich schon meinen Kniestrumpf über den Kopf gezogen und nicht mehr gut gesehen und wumm … Das gab zum Glück nur eine kleine Beule.

Noch eine Begebenheit, die aber überall passieren kann: In „Arsen und Spitzenhäubchen" wird Hubertus Brandt, als Mortimer Brewster, an einen Stuhl gefesselt und ich muss ihn wieder befreien. Den Knoten macht immer ein anderer Kollege und er lässt eine Schlaufe, an der ich ziehen kann um ihn zu lösen. Einmal allerdings rückte Hubertus mit seinem Stuhl ein bisschen von den beiden Ganoven weg, dabei zog sich der Knoten zusammen und war für mich nicht mehr zu öffnen. Da kam Panik auf, wie sollte ich ihn jetzt befreien? Letztlich schaffte der Kollege es dann alleine.

Die vier Monate Theatersaison hier sind schon anstrengend, aber ich darf jeden Tag, sieben Tage die Woche, das machen, was ich liebe und bekomme auch noch Geld dafür. Ich bin jeden Tag dankbar, dass ich hier bin, und gehe mit einem lachenden und einem weinenden Auge zurück nach Hamburg. Gerne komme ich nächstes Jahr wieder – am liebsten als Akteur, auf jeden Fall aber als Besucher.

Ulrich Westermann   Foto: Privat

Ulrich Westermann
Schauspieler

Zum Glück werden selten KollegInnen so krank, dass sie nicht mehr spielen können. Wenn doch, muss umbesetzt werden, da es hier in Feuchtwangen keine Zweitbesetzung gibt. Dann muss alles sehr schnell gehen. Einmal bekam ich an einem Sonntag den Anruf und das Textbuch und spielte am Dienstagabend eine mittelgroße Rolle. Das war Funktionieren und Adrenalin pur. Ich habe aber die glückliche Gabe, dass ich Texte sehr schnell lerne und mir Vorgänge sehr gut merken kann und ich hatte zum Glück die Premiere dieses Stückes gesehen. Hinzu kommt immer, dass ein Text eine Handlung und eine Handlung einen Text bedingt. Wenn ich weiß, was ich zu sagen habe, weiß ich auch relativ schnell, was da zu spielen ist. Ich hätte anfangs auch mit dem Textbuch in der Hand spielen können, wollte das aber nicht. Nach drei Proben gab es am ersten Abend vor der Aufführung eine „Gnadenansage", am zweiten Abend wollte ich das nicht mehr.

Seit 2006 verbringe ich jeden Sommer hier in Feuchtwangen. Bis 2005 war ich in festen Engagements unterwegs. Dann wollte ich frei sein, zog zu meiner Frau nach Mannheim und bin seitdem meistens unterwegs, spannenderweise immer weit weg von zu Hause. Schleswig, Landshut, Kaiserslautern oder auf Tournee … Da ist Feuchtwangen fast ‚ums Eck'. Das Schicksal freier Schauspieler ist, dass man manchmal sehr, sehr viel arbeitet und dann gibt es Zeiten ohne Engagements. Dafür kann man auch mal außer der Reihe Urlaub machen.

In den Jahren 2014 und 2015 bin ich zwischen Landshut und Feuchtwangen gependelt. Hier geprobt und dort gespielt, oder andersherum. Das war richtig stressig. Oft fuhr ich morgens um sieben hier in Feuchtwangen los, hatte in Landshut Probe von 10–14 Uhr, fuhr zurück und spielte abends im Kreuzgang. Das kann man mal für eine kurze Zeit machen, heute würde ich es nicht mehr tun.

Sehr gerne arbeite ich mit Johannes Kaetzler, den ich hier 2008 kennenlernte. Wir empfanden bald eine Sympathie und Seelenverwandtschaft zueinander und wir können uns aufeinander verlassen. Unser Verstehen geht sogar manchmal wortlos. Er hat die tolle Gabe und legt auch Wert darauf, ein Ensemble zusammenzustellen, das harmoniert. Das gibt es nicht oft.

Eine besondere Eigenschaft der Kreuzgangspiele ist die Zusammensetzung des Ensembles. So sind neben vielen jungen SchauspielerInnen und Leuten mittleren Alters auch alte und erfahrene Akteure wie Wolfgang Beigel, Peter Heeg und Horst Janson engagiert. Diese ‚alten Hasen' spielen mit großer Souveränität, Ruhe und Kraft. Man spürt die gelebten Jahre im Leben und auf der Bühne. Das wirkt auf das ganze Ensemble. Eine Komplexität, die man so kaum noch an einem Stadttheater findet.

Kollege Joseph Saxinger war über neunzig als er hier 2013 „Im Namen der Rose" das letzte Mal gespielt hat. Wir haben ihn am Arm auf die Bühne geleitet. 2010 spielten wir „Die lustigen Weiber von Windsor". Da habe ich ihn mit dem Rollstuhl gefahren. Es war sehr schön, dass er auf diese Weise noch mitspielen konnte.

Es entstehen bei den Kreuzgangspielen auch viele wunderbare Kontakte unter uns SchauspielerInnen, was sich auch darin zeigt, dass immer wieder KollegInnen aus den Vorjahren nach Feuchtwangen kommen, um sich die aktuellen Stücke anzuschauen.

Der historische Kreuzgang ist ein toller Raum. Er strahlt über tausend Jahre Geschichte aus und hat ein Eigenleben, das sich behauptet und seine eigenen Qualitäten hat. Man muss ihn in das Spiel einbeziehen, sonst rächt es sich. Ich bezeichne ihn auch gerne als Kammerspiel unter den Freilichttheatern. Man kann hier geradezu „filmisch" spielen, das ist ein Traum. Man muss spielerisch nichts vergrößern, damit auch die ZuschauerInnen in der letzten Reihe mitbekommen, was auf der Bühne passiert. Das ist sonst nur in einem geschlossenen Theaterraum möglich. Auch das technische

Ambiente ist sehr, sehr professionell, was besonders auf den unermüdlichen Einsatz des Intendanten Herrn Kaetzler zurückzuführen ist. Der Stadt Feuchtwangen gebührt Dank und Respekt dafür, in welcher Weise sie als Initiator der Kreuzgangspiele, Gelder zur Verfügung stellt.

Ich habe in den letzten Jahren einige zusätzliche Solostücke in der Reihe „Kreuzgangspiele extra" während der Festspielzeit auf der Bühne in der ‚Nixelscheune' aufgeführt. Das „Eigenleben" dieser Räumlichkeit muss man auch in die Inszenierung integrieren, denn dagegen zu arbeiten funktioniert genau so wenig wie im Kreuzgang.

Ich persönlich mag es sehr, große Setzungen von einer auch körperlichen Realität zu schaffen. Mich interessiert und reizt es Rollen zu spielen, die durchdrehen, die hadern, die zweifeln und nicht wissen wohin mit sich. „Die Nacht kurz vor den Wäldern" von Bernard-Marie Koltes war so ein Stück. Ein großer Eisblock hing wie ein Kreuz über mir und taute. Die Tropfen durchnässten langsam meine Kleidung und ich begann zunehmend zu frieren und zu zittern. Wir wollten die Kälte, unter der die Person leidet, optisch unterstreichen, und aufzeigen, dass Kleidung keinen Schutz mehr bietet, wenn sie nass ist.

Gelernt habe ich den Text dieses etwa einstündigen Solostückes in den Monaten bevor die Proben für die Kreuzgangspiele anfingen und während der Spielzeit bei Spaziergängen in den Wäldern rund um Feuchtwangen. Seitdem lerne ich am liebsten meine Texte im Wald, in der Natur, beim Gehen.

„Judas" war mein zweites Solostück in der ‚Nixelscheune'. In diesem Stück rebelliert Judas gegen die Vorwürfe des Verrats und der Untreue, die die Menschen über Jahrtausende über ihn gestülpt haben. Die Bühnenidee kam von mir. Für mich war es eine Fortführung dessen, was der Mensch unter dem Eisblock in dem Stück „Die Nacht kurz vor den Wäldern" zu erleiden hatte.

Theaterspielen ist dem Sport durchaus sehr ähnlich. Sport ist Training, die vielen Proben und die folgenden Aufführungen im Theater ebenfalls. Gut trainiert verbraucht man weniger Energie und Kraft. Rieche an einer Rose mit einem Klavier auf dem Buckel. Das geht nicht. Übermäßiger Einsatz von Kraft ist beim Sport wie beim Theaterspiel hinderlich. Deswegen kann es sein, dass eine Vorstellung zu Beginn der Spielzeit ganz anders wirkt als am Ende, auch wenn man im Grunde dasselbe spielt. Das Spiel ist flüssiger, entspannter, geübter.

Das Wetter macht Freilichttheater zu etwas ganz Besonderem. Durch Regen, Windböen oder ein aufkommendes Unwetter entsteht eine besondere Atmosphäre, die unser Spiel beeinflusst. Ich finde solche Situationen spannend, denn sie unterbrechen eine eventuell im Laufe der Spielzeit aufgekommene Routine und plötzlich ist die volle Aufmerksamkeit wieder da. Das ist gut, denn ein wesentlicher Aspekt beim Theaterspielen ist ja das Sein im Hier und Jetzt.

Für uns SchauspielerInnen ist es wunderbar, dass bei den Kreuzgangspielen die Generalproben mit Publikum stattfinden. Da können wir spüren, ob eine Pointe sitzt, eine Pause trägt, der Abend funktioniert. Das ist fast eine Premiere, trotzdem fühlt es sich ganz anders an. Denn das Premierenpublikum mit vielen hochgestellten Persönlichkeiten, kommt mit einer ganz anderen Erwartungshaltung.

Eine der Premieren im Jahr 2008 war äußerst schwierig zu bewältigen. Zeitgleich fand nämlich das Halbfinalspiel der Fußball-EM Türkei gegen Deutschland statt, was zu vielen Irritationen führte. Die Jubelrufe bei jedem Tor und die Autokorsos danach hörten alle als ‚Hintergrundmusik' zu unserer Aufführung und es war für uns SchauspielerInnen nicht einfach, immer konzentriert und fokussiert zu bleiben.

In seiner Rede bei der Premierenfeier sagte der damalige bayerische Ministerpräsident Günther Beckstein: „Ich wusste immer Bescheid über die Ergebnisse, denn ich habe mich während der Vorstellung per SMS informieren lassen". Wir waren sehr verblüfft, denn eigentlich sollten alle Mobiltelefone ausgeschaltet sein …

Das Lampenfieber ist bei mir von Tag zu Tag unterschiedlich. Ein gewisser Zustand von gehobener Erregung ist immer da. Das bedeutet ja auch mehr Fokussierung und Aufmerksamkeit. Bei der für mich ersten Aufführung der oben erwähnten kurzfristigen Übernahme der Rolle des erkrankten Kollegen bin ich fast ‚gestorben' und 2016 bei der Premiere von „Judas" auch. Ganz anders erging es mir bei einer anderen Aufführung des „Judas" in diesem Jahr. Aufgrund der großen Nachfrage wurde eine zusätzlich Vorstellung dieses Solostückes als „Late Night" um 23.30 Uhr angesetzt. Ursprünglich hätte ich an diesem Abend keine Vorstellung im Kreuzgang gespielt, aber zu diesem Zeitpunkt hatte ich schon die Rolle des erkrankten Kollegen übernommen. Ich spurtete nach der Vorstellung im Kreuzgang in die Garderobe, zog mich um, ging in die ‚Nixelscheune', zog mich wieder um und spielte. Ich war erstaunlicherweise nicht gestresst, sondern vollkommen entspannt und hatte das Gefühl, jetzt bin ich da.

Lebende Tiere im Theater sind immer etwas Besonderes. Bei dem Stück „Die drei Musketiere" spielte ein Falke mit. Dieser sollte aus dem Fenster der Ton- und Lichtregie zu mir auf den Arm fliegen. Bei der ersten Probe stand noch ein großer weißer Schirm mitten auf der Tribüne, um den Regisseur und seine Utensilien vor Regen und Sonne zu schützen. Dieser Schirm hat den Falken offenbar so irritiert, dass er zwar von oben in meine Richtung losflog, aber dann beschloss, auf das Dach der Handwerkerstuben (Westflügel des Kreuzganges) zu fliegen. Da saß er nun und wir mussten ihn erst mal wieder herunter locken … Das sollte nicht noch einmal passieren, deswegen wurde er von Stund' an als Spielpartner auf meinem Arm festgebunden und ich fütterte ihn mit Hühnerbeinchen. Der Falke war ein unglaublich sensibler Spielpartner. Er bekam jeden Abend ganz genau mit, in welcher Verfassung ich war und was sich um ihn herum abspielte. Je nachdem war er ruhig oder nervös. Es gab auch Abende, da hatte ich den Eindruck, er war gerne dabei und Abende, an denen war er schwer bzw. nicht zu bändigen.

Beim „Glöckner von Notre Dame" im Jahr 2009 wurde Esmeralda von einer ‚magischen', lebendigen Ziege begleitet. Ich hatte die Aufgabe, diese Ziege zu führen. In einer Szene sollte sie ein Orakel in Form von Buchstaben so auf den Boden legen, dass dabei ein Name zu erkennen war. Dieses Orakel wurde inszeniert, indem die Ziege hinter einer Wand von Statisten gegen das Publikum abgeschirmt wurde und Brotstückchen vom Boden zu fressen bekam. So kam ein Buchstabe nach dem anderen dazu und letztlich hatten wir einen Namen. Aber Ziegen sind sehr schlaue Tiere und sie hatte sehr schnell kapiert, dass die Statisten das Brot in der Tasche hatten. Wenn ich bei den Vorstellungen nun mit der Ziege an der Leine auf die Bühne kam, ging sie zielstrebig zu den Statisten und schnupperte an deren Taschen. Wir konnten machen und versuchen was wir wollten, aber die Ziege ließ sich nicht mehr dazu ‚überreden', zu warten bis das Brot auf dem Boden lag, um es von dort zu fressen. Uns blieb nichts anderes übrig, als einfach weiter zu spielen. Mit Tieren kann sich auf der Bühne ein Eigenleben entwickeln, das dann in das Spiel eingebaut werden muss.

Manchmal entwickeln auch Requisiten unbeabsichtigt ein Eigenleben. Bei „Ronja Räubertochter" wurde in Mattis' Lager getafelt, mit einem Schinken aus Schaumstoff. In dieser Szene warf der Räuberhauptmann den Schinken wutentbrannt auf die zweite Spielfläche über den Kreuzgangbögen. Und dieser Schinken aus Schaumstoff flog oft wie ein Ball mit einer Verzögerung von einigen Sekunden wieder zurück in die Szene. Das führte natürlich zu einigen Irritationen. Wir tauften ihn deshalb ‚Schinken des Grauens'.

In einer anderen Szene zogen wir als Mattis' Bande auf die Jagd. Wir waren alle zum Blödeln aufgelegt und kamen zurück mit langen Spießen, auf denen Plastikhühner hingen. In einer Vorstellung rief ein Kind: „Ääähhh, Plastikhühner?" was natürlich entwaffnend war und dazu führte, dass wir selber lachen mussten. Kinder sind das ehrlichste Publikum, das man sich vorstellen kann. Deswegen spiele ich sehr gerne für sie.

124

Ein heißes Eisen im Theater sind die Dernieren-Scherze. Es ist Usus, in der letzten Vorstellung den KollegInnen Streiche zu spielen, um sie aus dem Konzept zu bringen. Das Publikum darf davon auf keinen Fall etwas mitbekommen, das ist ein Ehrenkodex unter den SchauspielerInnen. Ein Dernieren-Scherz ist eine hochkomplexe Aufgabe und geht oft und gerne schief. Deswegen verkneifen wir uns das in der Regel bei den Kreuzgangspielen.

Ich fühle mich in Feuchtwangen geschätzt und wohl aufgenommen. Es ist ein schönes Gefühl, Teil der Stadt zu sein. Mittlerweile habe ich schon drei Lebensjahre, verteilt auf zwölf Sommer, hier verbracht. Auch liebe ich es, den Frühling und Sommer hier zu verbringen und ich genieße es, die Landschaft um Feuchtwangen bei vielen Radtouren hautnah zu erleben.

Am Ende der Spielzeit gehe ich mit einem lachenden und einem weinenden Auge. Ich freue mich zum Beispiel, zu Hause keine Dachschräge mehr zu haben und in der Küche wieder aufrecht stehen zu können. Auch meine KollegInnen aus Hamburg freuen sich darauf, ihre Heimat wieder zu sehen. Die jüngeren SchauspielerInnen, die sonst in einer Großstadt leben, freuen sich auf das „Highlife" dort.

Nach dem jeweils letzten Stück trinken wir etwas miteinander und der Intendant lädt zu einer kleinen Abschlussfeier ein. Wer noch nicht abgereist ist, trifft sich zum Frühstück am Sonntag nach der letzten Vorstellung im ‚Café am Kreuzgang'. Alles sieht noch genau so aus wie in den letzten Monaten. Die Bühne steht, die Scheinwerfer hängen, die Transparente stehen, aber man spürt, die Spielzeit ist zu Ende. Der Vorhang ist gefallen. Die Stadt kommt wieder zur Ruhe.

Mitarbeiter des Bauhofes:
Von links: Jürgen Troßmann, Jörg Heßler, Fritz Utz Foto: C. Hinderer

Bauhof

Wir sind das ‚Rundum sorglos Paket' der Kreuzgangspiele und fast das gesamte Bauhofteam ist eingebunden in die Vorbereitung und Durchführung der Festspiele. Wenn man die Gesamtstundenzahl unserer Mitarbeiter berechnen würde, entspräche das drei vollen Stellen. Während der Spielzeit ist allein ein Mann nur für die umfangreichen Aufgaben im Kreuzgang zuständig.

Ende November findet mit einem unserer Mitarbeiter die erste Besprechung mit Herrn Kaetzler, Herrn Asofiei und den AusstatterInnen, meist in Hamburg, statt. Dabei werden die Bühnenbilder der drei Theaterstücke aufeinander abgestimmt und optimiert. Die BühnenbildnerInnen haben Modelle dabei und wir begutachten, ob deren Ideen auch praktisch durchführbar sind. Besonders zu beachten ist, dass die Konstruktionen durch die Kreuzgangbögen passen müssen, die nur 1,80 m hoch und 80 cm breit sind. Alle Teile müssen entsprechend klein zerlegbar, transportabel und auch einfach auf- und abzubauen sein. Die beiden gerade nicht benötigten Bühnenbilder werden im Seitengang des Kreuzganges gelagert. Falls die Firma, die die Tribüne aufbauen wird, ihre Einwilligung dazu gibt, dass wir einige Teile unter der Tribüne lagern dürfen, dann können diese Kulissenteile auch etwas größer sein.

Im Januar kommen die BühnenbildnerInnen nach Feuchtwangen und wir besprechen alles nochmals im Detail. Anschließend bauen wir nach deren Vorlagen – neben unserem normalen Tagesgeschäft – alle Bühnenbilder für die Kreuzgangbühne, zunächst nur im Groben, und auch die Bühnenbilder für die beiden anderen Bühnen, dem Schlechtwetterspielort Stadthalle ‚Kasten' und dem ‚Nixelgarten' (dort werden das Kleinkind- und das Jugendstück gespielt).
Unsere Schlosser sind für die Metallteile der Bühnenbilder zuständig – es gab schon Stücke, bei denen fast das komplette Bühnenbild aus Metall war – aber meist wird mit Holz gearbeitet, wofür unsere Schreinerei zuständig ist. Bevor die BühnenbildnerInnen die

Ausgestaltung übernehmen, grundieren unsere Maler die Bauteile und Wände der jeweiligen Kulissen.

In den ersten beiden Aprilwochen wird von uns im Kreuzgang die Theaterbühne aufgebaut und, zeitlich etwas versetzt, die Traversen und die Tribüne, jeweils von Spezialisten externer Firmen. Alle Teile sind Eigentum der Stadt Feuchtwangen und werden von uns transportiert und eingelagert. Die Tribüne wurde 2010 erneuert, ist eine Sonderanfertigung und hat ca. 400.000 Euro gekostet. Alle drei bis vier Jahre wechseln wir den Bühnenbelag aus. Sonne und Regen setzen ihm stark zu und er ist abgespielt.

Danach bereiten wir auch alles „außen herum" vor. Für das ‚Café am Kreuzgang' bauen wir auf der Marktplatzseite den „Biergarten" auf, die Außenbewirtung findet außerhalb der Spielzeit im schönen Kreuzgang statt. Im Café werden blickdichte Vorhänge angebracht, die während der Abendvorstellungen zugezogen werden müssen, damit es keine heimlichen Zuschauer geben kann. In die Bögen des seitlichen Kreuzganges kommen schwarze Vorhänge, um die Kulissen, die in den Arkaden untergebracht werden, zu verstecken.

Gleich nach Weihnachten stellen wir in Feuchtwangen und den größeren Nachbarorten große Metallbögen auf, die mit Werbebannern bespannt sind.

Kurz vor Beginn der Theatersaison werden die Straßensperren an die entsprechenden Stellen in der Stadt auf den Gehwegen bereitgestellt. Diese bleiben während der Spielzeit vor Ort und werden von einer externen Firma vor Vorstellungsbeginn aufgestellt und danach wieder abgebaut.

Wenn die Kulissenteile für die Proben auf die Bühne kommen, wird noch vieles ergänzt oder abgeändert. Manchmal ist auch das ganze Bühnenbild hinfällig, weil etwas vom spielerischen Ablauf nicht funktioniert oder Umbauten während des Theaterstückes zeitlich nicht im Rahmen liegen. Dann wird die ganze Szene abgeändert und es kann sein, dass ein Bauteil übrig ist oder wir kurzfristig etwas komplett neu machen müssen.

Während der Probenzeit bauen wir dreimal am Tag die Kulissen für die nächste Probe um – es werden hier alle drei Stücke die im Kreuzgang zur Aufführung kommen, zeitgleich geprobt. Zu den Szenenproben werden nur die jeweils benötigten Teile aufgebaut, wenn z. B. nur links auf der Bühne geprobt wird, nur die linke Kulisse. Aber das kann sich auch manchmal kurzfristig ändern ... Wir müssen sehr flexibel sein und einige Mitarbeiter bleiben deshalb immer in der Nähe.

Im Verlauf der Spielzeit sind normalerweise nur noch zwei Mitarbeiter als „Kulissenschieber" für den Auf- und Abbau zuständig. Diese Arbeit ist teilweise schwierig, denn manchmal sind es sehr aufwendige Aufbauten und immer wieder stehen Reparaturen an. Einmal musste für ein Stück die komplette Bühne mit großen, roten Kunststoffplatten ausgelegt werden, die an den Ecken angeschraubt wurden, damit sie sich nicht aufbiegen konnten. Das Auslegen und Anschrauben konnten wir erst kurz vor der Aufführung machen, denn wenn die Sonne auf die Platten schien, bogen sie sich auf. Nach einigen Vorstellungen waren die Löcher schon ausgefranst und die Schrauben hielten nicht mehr richtig.

Wir bauen morgens ab sieben Uhr die Kulissen vom Abend vorher ab und für das Kinderstück, das vormittags gespielt wird, auf. Nach der Mittagspause erfolgt der Umbau für das Abendstück.

Für die Kindervorstellungen sind immer zwei, abends nur ein Mitarbeiter oder der Hausmeister vor Ort – für Notfälle, wie bei folgendem Zwischenfall: Ein Schauspieler wollte die Bühne durch eine Bühnentür verlassen, aber sie ging nicht auf. Er reagierte gedankenschnell und verließ die Bühne durch die Arkaden. Jemand hatte bei der Türe aus Versehen einen Riegel vorgeschoben. Unser Mitarbeiter wusste gleich, wo der Fehler lag und konnte ihn sofort beheben.

Bei einer Probe fiel uns auf, dass Schauspieler die beiden Kornelkirschbäume, die in die Kreuzgangbühne integriert sind, immer an der gleichen Stelle mit ihren Schwertern traktierten. Das gehörte so zum Stück. Mit dieser Behandlung hätten die Bäume die Spielzeit aber nicht überstanden. Also legten wir ein Veto ein und die Szene wurde entsprechend geändert.

Ein einziges Mal in all den vielen Jahren passierte uns ein großer Fehler. Abends um halb sieben kam ein Schauspieler in den Kreuzgang, schaute sich um, sagte nichts und ging. Etwas später kam ein Zweiter, schaute verwundert und fragte: „Bin ich im Tag verkehrt?" Es stellte sich heraus, dass wir die „falsche" Kulisse aufgebaut hatten. Sofort brach Hektik und totale Verwirrung bei uns aus. Ein Mitarbeiter baute die „falschen" Kulissenteile ab und trug sie weg, der andere hatte das Missgeschick nicht mitbekommen und trug die gleichen Teile umgehend wieder auf die Bühne, bis ihm der Fehler erklärt wurde. Jetzt war wirklich große Eile angesagt und hektisch trugen wir die richtigen Teile auf die Bühne. Zu unserem Glück half uns auch noch Frau Karg, die Chefin des Cafés. Sie hatte unsere Notlage durch die Fenster gesehen und packte gleich mit an. Hier helfen wirklich alle zusammen, das ist wunderbar.

Falls es vor der Aufführung geregnet hat, wischen wir die Bühne und auch die Laufflächen für die Zuschauer trocken. Wir werfen auch ein Auge auf die Menschen, die sich vor den Eingängen auf dem Markt- und Kirchplatz aufhalten. Bei Auffälligkeiten schreiten wir ein oder melden es dem Sicherheitsdienst. Während der Vorstellungen stehen wir oder der Hausmeister an den Eingangstüren, die als Notausgänge offenbleiben müssen, und passen auf, dass niemand hineingeht. Wir sind hier auch Ansprechpartner für Fragen der TheaterbesucherInnen und sind behilflich bei Notfällen. Wenn jemand während der Vorstellung – bei den Kreuzgangspielen gibt es keine Pause – zur Toilette muss, erklären wir den Weg dorthin. Oder wir halten einem/r SchauspielerIn die Türe auf, wenn er/sie von der Tribüne abgeht und nun schnell um die Kirche rennen muss, damit er/sie zum Weiterspielen wieder rechtzeitig auf der „richtigen" Seite die Bühne betreten kann.

Nach der Vorstellung gehen wir durch die Stuhlreihen der Tribüne und sammeln Verlorenes und Müll ein. Besonders aufwendig ist das nach dem Kinderstück. Meist ist eine Reinigung notwendig und manchmal könnte man noch eine ganze Klasse mit den Speiseresten versorgen, die auf dem Boden zurückgelassen worden sind.

Wenn die Festspiele zu Ende sind, werden die meisten Kulissenteile zu Kleinholz verarbeitet und entsorgt. Aus Platzmangel bewahren wir nur sehr wenig auf, denn es wird in den folgenden Jahren nur sehr selten etwas für die neuen Produktionen übernommen, nur manchmal für die Proben. Im Bauhof lagern wir Möbel und Kulissenteile ein, die der Intendant behalten möchte. In Bernau werden die Tribüne und die Traversen aufbewahrt. Und dann gehen wir endlich in den wohlverdienten Urlaub und bauen viele Überstunden ab …

Kulissenwechsel. Alles muss durch die Kreuzgangbögen passen.

Werner Ehrmann   Foto: C. Hinderer

Werner Ehrmann
Hausmeister

In erster Linie bin ich im Auftrag der Stadt Feuchtwangen – als Betreiberin der Festspiele –, für die Sicherheit der Veranstaltungen und die Einhaltung der Vorschriften verantwortlich: Sind die Fluchtwege frei und die entsprechenden Türen offen, sind auf der Bühne alle großen Teile fest verankert, ist die Sicherheitsbeleuchtung in Ordnung und eingeschaltet?

Es müssen auch immer zwei Feuerwehrleute und zwei Ersthelfer vom BRK anwesend sein, sonst darf die Vorstellung nicht beginnen. Gegebenenfalls telefoniere ich mit den Verantwortlichen und fordere Verstärkung an. Da es jeden Abend andere Personen sind, die diesen Dienst versehen, weise ich sie in die Gegebenheiten ein: Wo ist der Rot-Kreuz-Raum, wo sind die Feuerlöscher, die Löschdecken und die Fluchtwege? In Notfällen unterstütze ich die Sanitäter und rufe den Notarzt, helfe, den Patienten zu tragen oder ich säubere auch mal den Boden von Erbrochenem …

Falls Pyrotechnik eingesetzt wird, informiert sich die Feuerwehr genau, wo das Feuer abgebrannt wird und wo der nächste Feuerlöscher steht. Fackeln werden in einem Eimer mit Sand gelöscht, dann können sie gleich wieder angebrannt und weiter verwendet werden. Der Ausweichspielort, die Stadthalle ‚Kasten‘, ist während der Spielzeit immer bestuhlt. Wenn wegen schlechten Wetters dort gespielt oder es in Betracht gezogen wird, dorthin umzuziehen, mache ich mit den Diensthabenden auch dort noch einen Rundgang. Für den Kreuzgang und den ‚Kasten‘ gelten die gleichen Bestimmungen, denn der Kreuzgang zählt als geschlossener Raum. Nach der Vorstellung wird kontrolliert, ob auch wirklich alle Feuer gelöscht sind.

Die Premierenfeier findet normalerweise in der Stadthalle ‚Kasten‘ statt. Benötigt werden dafür ein kleines Podest für die Redner, Stehtische und ein Tisch für das Buffet. Wenn das Wetter unbeständig ist, wird der ‚Kasten‘ bestuhlt und die Feier im Gemeindehaus der evangelischen Kirche ausgerichtet. Oder wir räumen, wenn sich das

Wetter beruhigt hat, während der Aufführung alle vierhundert Stühle in das Lager im Keller. Mit einem Aufzug für jeweils zwölf Stühle. Ein Mitarbeiter ist im Keller, einer oben. Das ist sehr mühsam. Dabei unterstützt mich ein Mitarbeiter des Bauhofes. Unsere Zusammenarbeit ist immer sehr eng und wir unterstützen uns gegenseitig. Deswegen macht mir auch jedes Jahr die Betreuung der Festspiele viel Spaß.

Wenn Gruppen die Kindervorstellungen besuchen, bitte ich die Erwachsenen, sich an die Seiten zu setzen, damit sie den Kindern hinter ihnen nicht die Sicht versperren. Manche Mütter denken nicht daran und setzen sich in die Mitte neben ihr Kind.

Während der Vorstellungen halte ich mich im Eingangsbereich des Kulturbüros auf und achte darauf, dass keine unbefugten oder neugierigen Gäste hereinkommen.

Einmal konnte ich einen sehr flinken und besonders Neugierigen erst kurz vor der Bühne stoppen … Die Türen bleiben als Fluchtwege auf und werden auch von den SchauspielerInnen als Bühnenein- oder -ausgang genutzt.

Es gibt auch hin und wieder nette Begegnungen. Wegen vieler Staus auf der Autobahn beschloss ein Paar spontan, in Feuchtwangen zu übernachten. Im Hotel hörten sie von den Kreuzgangspielen, konnten sich aber nichts darunter vorstellen. Sie kamen zum Marktplatz und ich ließ sie durch ein Fenster einen Blick auf das Spielgeschehen werfen. Als Dankeschön brachten sie mir ein Eis.

Wenn alle Besucher den Kreuzgang verlassen haben, mache ich noch einen Rundgang und schließe zu. Dann ist auch bei mir Feierabend.

Carsten Köpke   Foto: C. Hinderer

Carsten Köpke
Haus- und Gewerbedienstleister, Sicherheitsdienst

Ein Gutschein für die Kreuzgangspiele ist ein wunderbares Weihnachtsgeschenk. Damit das wahr werden kann, verteile ich ab Oktober Flyer und Plakate im Raum Mittelfranken. Fünf Tagestouren im Umkreis von siebzig Kilometern führen mich bis Nördlingen/Oettingen, Gunzenhausen, Ansbach/Colmberg, Crailsheim/Ilshofen und rund um Feuchtwangen. Alle Vorverkaufsstellen und Touristinformationen, aber auch viele Hotels, Restaurants, Cafés, Buchhandlungen werden beliefert. Plakate hängen nur an ausgesuchten Flächen, in Schaufenstern und Vorverkaufsstellen.

Im Februar, April und Juli fahre ich diese Touren nochmals, fülle die Flyer auf und ersetze Plakate, die unansehnlich sind oder entfernt wurden. Eine Tour dauert sechs bis sieben Stunden und ich fahre insgesamt knapp sechshundert Kilometer.

Während der Spielzeit bin ich mit meinen sieben bis neun Mitarbeitern für die Straßensperrungen, das Auf- und Abziehen der Hussen der Kreuzgangbestuhlung und für die Taschenkontrollen am Eingang verantwortlich.

Im Mai wird das Material für die neun Straßensperren vom Bauhof auf die Gehwege vor Ort gestellt, dort bleiben sie auch während der Festspielzeit stehen. Ab 19 Uhr dürfen die Straßen gesperrt werden und eine Stunde vor Spielbeginn muss die Sperrung komplett sein. Weithin sichtbar mit Warnwesten ausgestattet, arbeiten wir immer zu zweit, haben genaue Zeitvorgaben und werden auch von der Polizei kontrolliert, denn eine Sperrung ist ein Eingriff in die Straßenverkehrsordnung. Die vierundzwanzig, je dreißig Kilogramm schweren Fußplatten aus Kunststoff erfordern „starke Männer". In die Fußplatten werden die zwanzig Kilogramm schweren Schranken und Schilder verankert. Dabei kontrollieren wir auch alle Schrauben und ob die Warnlampen funktionieren. Als Letztes wird noch der Hell-dunkel-Sensor der Lampen per Knopfdruck aktiviert. Diese eineinhalb Kilometer lange Route dauert etwa zwanzig Minuten. Der Abbau nach der Vorstellung ab dreiundzwanzig Uhr geht verkehrsbedingt etwas schneller.

Vor ein paar Jahren, als die Bundesstraße wegen einer Baustelle teilweise gesperrt war, kam uns nachts ein Auto mit einem verzweifelten Fahrer entgegen: „Ich bin aus Rothenburg, ich will hier raus, überall ist gesperrt". Selbstverständlich halfen wir gerne weiter.
An Werktagen erfolgt die Sperrung nur abends. Am Wochenende, wenn das Kinderstück nachmittags gespielt wird, besteht die Sperrung ab fünfzehn Uhr und bleibt durchgehend bis nachts.
Wenn ein Unwetter gegen Ende der Aufführung droht, heben wir, nach Abklärung mit der Spielleitung, sofort die Straßensperre auf.

Hin und wieder wird auch etwas gestohlen, eine Schranke, ein Schild oder einmal sogar eine Lampe. Deren Halterung wurde mit einem Bunsenbrenner bearbeitet, als Gegenleistung lag eine Beinprothese neben dem Schild???

Nachts ist uns auch schon eine Schranke „entgegengekommen". Ein paar betrunkene Gäste liefen mit einer von uns schon abgebauten Schranke durch die Stadt. Als wir sie ansprachen, stellten sie sie ab, zogen ihre Hosen herunter und zeigten uns den blanken Hintern. Zum Glück kam in diesem Moment die Polizei vorbei.
Die Polizei ist auch im, für die Durchfahrt gesperrten Gebiet präsent. Manchmal ignorieren gleich mehrere Auto- und Motorradfahrer nacheinander das Verbot ... Dann heißt es Schlange stehen für einen Strafzettel …

Zeitgleich zur Straßensperrung entfernt mein „Hussen-Team" die Schutzhüllen von den Sitzen im Kreuzgang. Die Hussen schützen die Bestuhlung gegen Schmutz, Hitze, UV-Strahlung und Regenwasser. Fünfundvierzig Minuten vor Spielbeginn müssen sie entfernt sein. Das Entfernen dauert etwa dreißig, das Aufziehen nach der Vorstellung vierzig Minuten. Da – wenn irgend möglich – im Freien

gespielt wird, kann sich bei Regen der Einlass der maximal fünfhun-
dertelf Zuschauer etwas verschieben. Denn wir sind bemüht, den
Zuschauern trockene Sitze anzubieten.

Es gibt Hussen für drei, fünf und sechs Sitze. Sie werden geord-
net in Kisten gesammelt, die übereinandergestapelt und unter der
Tribüne gelagert werden. Wenn da keine Ordnung herrscht, ist das
Chaos perfekt ...

Falls nasse Hussen in die Kisten kommen und man sie beim
Aufbau herausholt, kann sich ein Wasserschwall über die Hose er-
gießen ...

Wenn all diese Arbeiten beendet sind, führen wir beim Einlass
an den Eingängen Sicherheitskontrollen durch und kontrollieren den
Inhalt der mitgebrachten Taschen.

Nach der Vorstellung kontrollieren wir oder der Hausmeister, ob
sich niemand mehr im Kreuzgang aufhält, sammeln eventuell Verlorenes auf, machen die Lichter aus und schließen ab. Kurz vor vierundzwanzig Uhr ist Feierabend. Um neun Uhr am nächsten Morgen
geht es weiter, denn dann müssen wir die Bestuhlung für das Kinderstück von den Hussen befreien.

Fritz Karg   Foto: C. Hinderer

Fritz Karg
‚Café am Kreuzgang'

In Zeiten, als es noch keine Handys gab, war unser Café praktisch das Wohnzimmer der SchauspielerInnen und das ganze Leben fand hier an der Theke statt. Wir hatten das einzige Telefon und hörten natürlich jedes Gespräch mit, ob wir wollten oder nicht. Es gab auch mehr oder weniger diskrete Liebesszenen im Café oder auch Streit, der manchmal sogar handgreiflich auf die Straße verlegt wurde.

Mit einigen KünstlerInnen entstanden Freundschaften, die bis heute anhalten, und auch meine Kinder freundeten sich mit den Kindern einiger SchauspielerInnen an. Ich machte natürlich viele Fotos und werde heute noch manchmal nach Bildern von früher für besondere Geburtstage angefragt.

Mein Vater hat 1958 die Räumlichkeiten von der Sparkasse erworben und ein Jahr lang umgebaut. Im Erdgeschoss gab es nur kleine Fenster, den Kreuzgang konnte man gar nicht sehen. Im ersten Stock waren viele kleine Räume, es mussten alle Wände herausgerissen werden. Pfingsten 1959 wurde das Café eröffnet. Nach seinem Tod 1968 übernahm ich das Café und jetzt ist es schon in die nächste Generation übergegangen.

Ein Teil des Kreuzganges gehört zum Café und wir bewirten dort bei schönem Wetter unsere Gäste. 1969 sollte die erste Tribüne gebaut werden und ich gab mein Einverständnis. Seither baut mir die Stadt alternativ dafür jedes Jahr im April vor dem Café am Marktplatz eine Terrasse zur Bewirtung während der Spielzeit. Nach Spielende durften die Besucher der vorderen Reihen durch mein Café den Kreuzgang verlassen.

Bis in die 1980er Jahre wurden, wenn die Aufführung ausverkauft war und noch mehr Leute die Vorstellung sehen wollten, vor unsere Fenster im ersten Stock Stühle gestellt. Diese Plätze wurden dann zusätzlich verkauft und dadurch konnten noch ein paar Zuschauer mehr die Vorstellung sehen. Heute werden alle Fenster geschlossen und auch unten im Café die blickdichten Vorhänge zugezogen, damit es keine heimliche/n ZuschauerInnen gibt.

Ich wuchs in der Nachbarschaft des Theaters auf. Der gleichaltrige Sohn des Gründers der Kreuzgangspiele und ersten Intendanten Otto Kindler wurde ein guter Freund von mir. Wir haben viel miteinander gespielt, die Schauspieler bewundert, und waren mit Begeisterung bei den Proben dabei – schon mit acht Jahren. Damals gab es noch keine erhöhte Bühne und die Zuschauer saßen auf einfachen Holzbänken.

Bis heute habe ich alle Stücke gesehen. Aber mitgespielt habe ich nie. Dafür übernahmen meine Kinder Statistenrollen.

Das erste Stück 1949 war die Gretchentragödie aus dem „Faust" von Johann Wolfgang von Goethe, damals noch mit Laienschauspieler/Innen. Zur Verschönerung eines Kostüms wurde Schmuck benötigt. Die Frau des Senatspräsidenten war so freundlich, ihren eigenen für die Aufführung auszuleihen. Doch es wurde vergessen, ihn unmittelbar nach der Aufführung wieder zurückzugeben. So lag der wertvolle Schmuck die ganze Nacht bis zum anderen Morgen auf der Bühne im Kreuzgang. Aber in Feuchtwangen wohnen ehrliche Leute, es wurde nichts gestohlen.

Über die Jahre lernte ich viele Persönlichkeiten kennen. Auch Inge Meysel spielte hier, leider war dieser Sommer sehr verregnet. Als sie das erste Mal ins Café kam, wanderte ihr Blick zu den Deckenlampen und sie ‚befahl': „Die Lampen müssen weg". Wir hängten sie dann einfach ein bisschen höher.

Da es nur wenige Probenräume in Feuchtwangen gibt und diese immer vollkommen ausgelastet sind, fragte mich vor Jahren eine Schauspielerin, ob sie denn in meinem Saal im ersten Stock Steppen und Tanzen üben dürfe. Ich erlaubte es ihr gerne, aber während ihrer Übungsstunden hat es im Café ordentlich geklappert …

Männer haben ja manchmal neben der Ehefrau noch eine Geliebte, so auch einer der früheren Intendanten; die Geliebte war eine bekannte Schauspielerin. Beide Damen hatten praktischerweise denselben Vornamen. Wenn ich fragte: „Wie geht es der Herta?", lag ich immer richtig …

Wir wohnten damals im Dachgeschoss über dem Café. Meine beiden großen Töchter konnten vom zweiten Stock aus dem Fenster auf die Bühne schauen. Und Kinder kommen manchmal auf die seltsamsten Ideen. Einmal spuckten sie während einer Aufführung Kirschkerne ins Publikum. Ein Herr mit ursprünglich weißem Hemd kam nach der Vorstellung zu mir – wir konnten uns zum Glück gütlich einigen …

Meine Kinder sind mit den Kreuzgangspielen aufgewachsen, studierten auch oft Rollen ein und spielten viele der Stücke im Garten nach. Und meine Frau und ich kamen in den Genuss ihrer ‚Sondervorstellungen' …

Früher war alles viel persönlicher und man kann es mit heute gar nicht vergleichen. Die SchauspielerInnen besuchen immer noch gern unser Café und ein schöner Brauch ist das „Abschlussfrühstück" mit den Ensemblemitgliedern, wenn der letzte Vorhang gefallen ist.

Daniel Asofiei, Rabea Lübbe, Gabriele Fischer; „Anatevka" 2013

Warten auf den Auftritt

André Lehnert, Wolfgang Beigel, Mario Thomanek; „Sommernachtstraum"
2013

Wolfgang Beigel
„Anatevka"

Ulrich Westermann
Abgang von der Bühne
„Sommernachtstraum"

Nagmeh Alaei, Auf dem Weg zur
Bühne, „Rennschwein Rudi Rüssel"
2013

Konstantin Krisch, Daniel Asofiei
laufen mit Requisiten um die
Kirche „Peter Pan"

Antje Otterson, Warten auf den Auftritt „Arsen und Spitzenhäubchen"

v. h. li. Alexander Ourth, Lulu Beil, Sina Schulz, Timo Klein, Ingo Paulick,
Nagmeh Alaei, Luzian Hirzel, „Rennschwein Rudi Rüssel"

Thomas Hupfer, Alexander Ourth, Wolfgang Beigel, Ulrich Westermann
vor dem Organistenhaus, „Sommernachtstraum"

Nagmeh Alaei, Ingo Paulick
„Rennschwein Rudi Rüssel"

Pamela Ferraroni
„Sommernachtstraum"

Niklas Mark Heinecke
„Pumuckl" 2013

Mein herzlicher Dank

gilt Dr. Maria Wüstenhagen und Johannes Kaetzler, die mir ihre Einwilligung zur Verwirklichung dieses Buches gaben. Dadurch waren mir Tür und Tor hinter den Kulissen geöffnet.

Ein großes Dankeschön an meinen Lektor Uli Kohler, er hat mit vielen guten Ideen die Texte wunderbar erweitert und abgerundet.

Franziska Diekmann unterstützte mich bei der Bildauswahl und -bearbeitung, vielen Dank dafür.

Sehr dankbar bin ich auch Marion Leidig und Sabine Schmidt. Sie standen mir mit ihrem großen Wissen der Computertechnik und ihren guten künstlerischen Ideen bei der Ausgestaltung des Buches hilfreich zur Seite.

Mein ganz besonderer Dank gilt allen Akteuren, die mir ihre Zeit geschenkt haben und mir sehr anschaulich und ausführlich von sich und ihrer Arbeit bei den Kreuzgangspielen erzählt haben. Ohne sie gäbe es das Buch nicht.

Claudia Hinderer

Claudia Hinderer

Claudia Hinderer wurde 1958 in Stuttgart geboren und absolvierte dort ihre Ausbildung zur Krankenschwester. Sie lebt seit 1985 in Feuchtwangen.

Ihre große Neugier und ihre Liebe zum Theater ließen den Wunsch aufkommen, einen Blick hinter die Kulissen und auf den Entstehungsprozess einer Theaterproduktion zu werfen. Was lag näher, als dies bei den jährlich im Sommer stattfindenden Kreuzgangspielen in ihrem Heimatort zu tun. Als Hobbyfotografin lädt sie uns nicht nur in Worten, sondern auch mit Bildern ein, an dem Entstehungsprozess der Produktionen der Feuchtwanger Kreuzgangspiele mit ihren besonderen Herausforderungen teilzunehmen.